21st ... ROCK

C000048758

EXCLUSIVE DISTRIBUTORS:
MUSIC SALES LIMITED
8/9 FRITH STREET, LONDON W1D 3JB,
ENGLAND.
MUSIC SALES PTY LIMITED
120 ROTHSCHILD AVENUE, ROSEBERY,
NSW 2018, AUSTRALIA.

ORDER NO. AM966746
ISBN 0-7119-8423-9
THIS BOOK © COPYRIGHT 2003
BY WISE PUBLICATIONS.

COMPILED BY NICK CRISPIN.
MUSIC ARRANGED BY JASON BROADBENT.
MUSIC PROCESSED BY PAUL EWERS MUSIC DESIGN.

COVER DESIGN BY FRESH LEMON.
PRINTED IN THE UNITED KINGDOM BY
CALIGRAVING LIMITED, THETFORD, NORFOLK.

YOUR GUARANTEE OF QUALITY:
AS PUBLISHERS, WE STRIVE TO PRODUCE EVERY
BOOK TO THE HIGHEST COMMERCIAL STANDARDS.
THE MUSIC HAS BEEN FRESHLY ENGRAVED AND
THE BOOK HAS BEEN CAREFULLY DESIGNED
TO MINIMISE AWKWARD PAGE TURNS AND TO
MAKE PLAYING FROM IT A REAL PLEASURE.
PARTICULAR CARE HAS BEEN GIVEN TO
SPECIFYING ACID-FREE, NEUTRAL-SIZED
PAPER MADE FROM PULPS WHICH HAVE
NOT BEEN ELEMENTAL CHLORINE BLEACHED.
THIS PULP IS FROM FARMED SUSTAINABLE
FORESTS AND WAS PRODUCED WITH
SPECIAL REGARD FOR THE ENVIRONMENT.
THROUGHOUT, THE PRINTING AND BINDING HAVE
BEEN PLANNED TO ENSURE A STURDY,
ATTRACTIVE PUBLICATION WHICH
SHOULD GIVE YEARS OF ENJOYMENT.
IF YOUR COPY FAILS TO MEET OUR HIGH STANDARDS,
PLEASE INFORM US AND WE WILL GLADLY REPLACE IT.

WWW.MUSICSALES.COM

105017

WISE PUBLICATIONS
...EY / COPENHAGEN / BERLIN / MADRID / TOKYO

ALL MY LIFE

WORDS & MUSIC BY DAVE GROHL, NATE MENDEL, TAYLOR HAWKINS & CHRIS SHIFLETT

G5   **Gm**   **Am**   **B♭m**   **A5**

B♭5   **E♭/G**   **C/E**   **F**   **B♭**

Intro

| G5 | G5 | G5 | G5 |

| G5 | G5 | G5 | G5 ‖

Verse 1

G5
All my life I've been searching for something,

Something never comes never leads to nothing,

Nothing satisfies but I'm getting close,

Closer to the prize at the end of the rope.

All night long I dream of the day

When it comes around then it's taken away,

Leaves me with the feeling that I feel the most,

Feel it come to life when I see your ghost.

Link 1

‖: Gm | Gm Am | Gm | Gm B♭m :‖

Verse 2

G5   A5
Calm down don't you resist,
G5   B♭5
   You have such a delicate wrist
G5   A5
   And if I give it a twist
G5   B♭5
Something to hold when I lose my grip
G5   A5
Will I find something in that?

cont.

G5   Bb5

   To give me just what I need

G5   A5

   Another reason to bleed

G5

One by one hidden up my sleeve

G5

One by one hidden up my sleeve.

Chorus 1

Eb/G

 Hey don't let it go to waste

G5

   I love it but I hate the taste

C/E   F   Bb

Weight keep pinning me down.

Eb/G

Hey don't let it go to waste

G5

   I love it but I hate the taste

C/E   F   Bb

Weight keep pinning me down.

Link 2 | Gm | Gm   Am | Gm | Gm   Bbm ‖

Verse 3

G5   A5

Will I find a believer?

G5   Bb5

   Another one who believes,

G5   A5

   Another one to deceive,

G5   Bb5

Over and over down on my knees.

G5   A5

If I get any closer,

G5   Bb5

   And if you open up wide,

G5   A5

   And if you let me inside,

G5

On and on I got nothing to hide,

On and on I got nothing to hide.

Chorus 2

E♭/G
Hey don't let it go to waste
G5
   I love it but I hate the taste
C/E   **F**   **B♭**
Weight keep pinning me down.
E♭/G
Hey don't let it go to waste
G5
   I love it but I hate the taste
C/E   **F**   **B♭**
Weight keep pinning me down.

Link 3

| **Gm** | | **Gm** | **Am** | **Gm** | | **Gm** | **B♭m** |

| **G5** | **G5** | **G5** | **G5** | |

| **G5** | **G5** | **G5** | **G5** | |

Verse 4   As Verse 1

Bridge 1
G5
And I'm done, done, onto the next one,

Done, done, and I'm onto the next one,

Done, done, and I'm onto the next one.

Done, done, and I'm onto the next one.

Done, done, and I'm onto the next one.

Done, done, and I'm onto the next one.

Done, done, and I'm onto the next one.

Done I'm done, and I'm onto the next.

Link 4		G5		G5		G5		G5		
		G5		G5		G5		G5	||	

G5

Bridge 2 Done, done, onto the next one,

Done I'm done and I'm onto the next one

Done, done, onto the next one,

Done I'm done and I'm onto the next.

E♭/G

Chorus 3 Hey don't let it go to waste

G5
   I love it but I hate the taste

C/E   **F**   **B♭**
Weight keep pinning me down.

E♭/G
Hey don't let it go to waste

G5
   I love it but I hate the taste

C/E   **F**   **B♭**
Weight keep pinning me down.

Link 5		G5		G5		G5		G5	||

G5

Outro Done, done and onto the next one

Done I'm done and I'm onto the next.

Big Sur

Words by Conor Deasy
Music by Conor Deasy, Kevin Horan, Pádraic McMahon, Daniel Ryan & Ben Carrigan
Contains elements from "Theme from the Monkees" –
Words & Music by Tommy Boyce & Bobby Hart

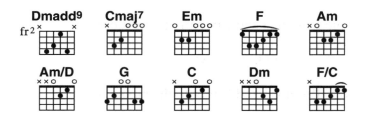

Intro　　　‖ Dmadd9 | Cmaj7 | Dmadd9 Em ‖

Verse 1

F　　　　　　　Am
　So much for the city

Am/D
Tell me that you'll dance to the end,

　　F　　　　　　　　　　　　　　G　Am
Just tell me that you'll dance to the end.

F　　　　　　　Am
　Hey, hey you're the Monkees,

　　Am/D
The people said you monkeyed around,

　　F　　　　　　　　G　Am
But nobody's listening now.

Chorus 1

C　　　　　F　　　Dm　　G
　Just don't go back to Big Sur,

Em　　　　　F
　Hangin' a - round,

Em　　　　　　　F
　Lettin' your old man down

C　　　　　F　　　Dm
　Just don't go back to Big Sur,

G　　　　　　　　F/C
Baby, baby, please don't go.

　　G　　　　　　　C　　Em
Oh, baby, baby, please don't go.

Verse 2

F   Am
So much for the street lights,

       Am/D
They're never gonna guide you home,

   F   G Am
No, they're never gonna guide you home.

F   Am
Down at the steamboat show, yeah,

Am/D
All the kids start spitting

                F   G Am
I guess I didn't live up to the billing.

Chorus 2

C   F   Dm   G
Just don't go back to Big Sur,

Em   F
Hangin' a - round,

Em   F
Lettin' your old man down

C   F   Dm
Just don't go back to Big Sur,

G   F/C
Baby, baby, please don't go.

    G   C   Em
Oh, baby, baby, please don't go.

Instrumental

| Dmadd⁹ | Cmaj⁷ | Dmadd⁹ | Cmaj⁷ Em ‖

| F | Am | Am/D | Am/D |

| F | F G | Am | Am ‖

Chorus 3   As Chorus 2

THE BITTER END

WORDS & MUSIC BY BRIAN MOLKO, STEFAN OLSDAL & STEVEN HEWITT

E♭sus2   B5   E♭m

Intro | E♭sus2 | E♭sus2 | E♭sus2 | E♭sus2 |

| E♭sus2 | E♭sus2 | E♭sus2 | E♭sus2 ‖

Verse 1

E♭sus2   B5
Since we're feeling so anaesthet - i - ised

E♭sus2
In our comfort zone,

B5
Reminds me of the second ti - ime

E♭sus2
That I followed you home.

B5
We're running out of alibi - is

E♭sus2
From the second of May,

B5
Reminds me of the summer ti - ime

E♭m   B5
On this winter's day.

Chorus 2

E♭m
See you at the bitter end.

B5   E♭sus2
See you at the bitter end.

Verse 2

                                       B5
Every step we take that's synchroni - ised

        E♭sus2
Every broken bone,

                     B5
Reminds me of the second ti - ime

                E♭sus2
That I followed you home.

                    B5
You shower me with lullabi - ies

             E♭sus2
As you're walkin' a - way,

                    B5
Reminds me that it's killing ti - ime

          E♭m
On this fateful day.

Chorus 2

B5   **E♭m**
  See you at the bitter end.

B5   **E♭m**
  See you at the bitter end.

B5   **E♭m**
  See you at the bitter end.

B5   **E♭m**
  See you at the bitter end.

                                                                 B5
(From the time we intercepted, feels more like suicide...)

                    E♭m
See you at the bitter end.

B5   **E♭m**
  See you at the bitter end.

B5   **E♭m**
  See you at the bitter end.

BORN AGAIN

WORDS & MUSIC BY DAMON GOUGH

E   D   G   C   A   E7#9

Intro

| E | E | E D | E D | E D | E D ‖

| E G | C A | E G | C A |

| E G | C A | E G | C A ‖

Verse 1

E   G   C   A
Maybe there's a reason why I'm born again,

                 E   G   C A
There's something real going on under my skies.

            E   G   C   A
You gotta chill out, find a reason for your soul again,

            E   G   C A
And judge the miracle by feel, not size.

Pre-chorus 1

Bm   C   G
Infinite the reasons why I'm born again,

            C   G D
The modern innocence I've sold on the side.

Chorus 1

| E G | C A E G | C A | E G | C A | E G | C A ‖
                     (Born again)

Break 1

| E | E | E | E   ‖

Verse 2

E   G   C   A
Try to capture reasons why I'm born again,

              E   G   C A
The more I look at it, the less that I find.

              E   G   C   A
But I won't bail out the bigger reason for my soul again,

            E   G   C   A
Another miracle has seasoned my mind.

	Bm C G
Pre-chorus 2	Maybe there's a reason why I'm born again,

                                   C   G D

There's something real going on under my skies.

Chorus 2

```
| E G | C A | E G | C A | E G | C A          | E G | C A ‖
                                          (Born again)
| E G | C A              | E G | C A          |
         I'm born again,          my soul again,
| E G | C A              | E G | C     A      |
         I'm born again,          found my soul again.
```

Break 2

```
| E     | E     | E     | E       ‖
```

Chorus 3

```
| E G | C A | E G | C A | E G | C A | E G|          C A ‖
                                        Born again,
```

Break 3

```
| E     | E     | E7♯9  | E7♯9    ‖
```

Outro

```
‖: E G | C A          | E G | C     A      |
        Born again,          Found my soul again,
| E G | C     A        | E G | C A          |
        And I'm born again,         My soul again,
| E G | C A            | E G | C A          |
        Born again,          Born again,
| E G | C A            | E G | C A       :‖ Repeat to fade
        Born again,          Born again,
```

11

BANDAGES

WORDS & MUSIC BY STEVE BAYS, DANTE DECARO, PAUL HAWLEY & DUSTIN HAWTHORNE

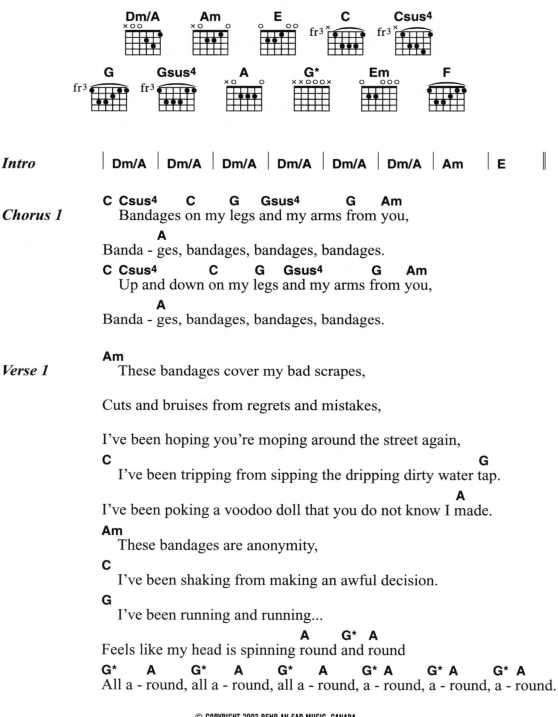

Intro | Dm/A | Dm/A | Dm/A | Dm/A | Dm/A | Dm/A | Am | E ||

Chorus 1

C Csus4   C   G   Gsus4   G   Am
Bandages on my legs and my arms from you,
A
Banda - ges, bandages, bandages, bandages.
C Csus4   C   G   Gsus4   G   Am
Up and down on my legs and my arms from you,
A
Banda - ges, bandages, bandages, bandages.

Verse 1

Am
These bandages cover my bad scrapes,

Cuts and bruises from regrets and mistakes,

I've been hoping you're moping around the street again,
C   G
I've been tripping from sipping the dripping dirty water tap.
                                                    A
I've been poking a voodoo doll that you do not know I made.
Am
These bandages are anonymity,
C
I've been shaking from making an awful decision.
G
I've been running and running...
                              A   G* A
Feels like my head is spinning round and round
G*   A   G*   A   G*   A   G* A   G* A   G* A
All a - round, all a - round, all a - round, a - round, a - round, a - round.

Chorus 2   As Chorus 1

Verse 2
Am
I've been hoping you're moping around the street again.

I've been tripping from sipping the dripping dirty water tap.
                                                              A
I've been poking a voodoo doll that you do not know I made for you,
                          Am
Of you, let's see what needles do.

I've been shaking from making an awful decision.
C
   I've been thinking I'm drinking too many drinks all by myself.
G
   I've been running and running...
                                    A   **G*** **A**
Feels like my head is spinning round and round
G* **A**   **G* A**   **G***   **A**   **G* A**   **G* A**   **G* A**
And round, a - round, all a - round, a - round, a - round, a - round.

Chorus 3
C Csus⁴   **C**   **G** **Gsus⁴**   **G**   **Am**
   Bandages on my legs and my arms from you
        A
Banda - ges, bandages, bandages, bandages.
C Csus⁴   **C**   **G** **Gsus⁴**   **G**   **Am**
   Up and down on my legs my arms from you
        A
Banda - ges, bandages, bandages, bandages.
C Csus⁴   **C**   **G** **Gsus⁴**   **G**   **Am**
   Bandages on my legs and my arms from you
        A
Banda - ges, bandages, bandages.

Bandages, bandages, bandages.

Bridge
      Am   **Em**
Don't worry now, don't worry now
      G   **A**
Don't worry 'cause it's all under control.
      Am   **Em**
Don't worry now, don't worry now
      G   **A**
Don't worry 'cause it's all under control.

13

cont.

Am   **Em**
Don't worry now, don't worry now

 G   **A**
Don't worry 'cause it's all under control.

 Am
Don't worry now, don't worry now

             A
Don't worry 'cause it's all under control.

 Am
Don't worry now, don't worry now

            A
Don't worry 'cause it will all turn around,

G* A   **G* A**   **G* A**   **G* A**   **G* A**   **G* A**   **G* A**
A - round, a - round, a - round, a - round, a - round, a - round, a - round.

Chorus 4

C Csus4   **C**   **G**   **Gsus4**   **G**   **Am**
  Bandages on my legs and my arms from you

     A
Banda - ges, bandages, bandages, bandages.

C Csus4   **C**   **G**   **Gsus4**   **G**   **Am**
  Up and down on my legs my arms from you

     A
Banda - ges, bandages, bandages, bandages.

C Csus4   **C**   **G**   **Gsus4**   **G**   **Am**
  Bandages on my legs and my arms from you

     A
Banda - ges, bandages, bandages, bandages.

F   **C**   **G**   **Am**
  Up and down on my legs my arms from you

     A
Banda - ges, bandages, bandages, bandages.

Outro   Bandages, bandages, bandages, bandages.

Bandages, bandages, bandages, bandages.

              Asus4
Bandages, banda - ges,

A   **Asus4**   **A**
Have advantages too.

CLOCKS

WORDS & MUSIC BY GUY BERRYMAN, JON BUCKLAND, WILL CHAMPION & CHRIS MARTIN

D Am Em Amadd11 Am7

Em7 Em/G Fmaj7 C G6 Fmaj9

Capo first fret

Intro   ‖: D | Am | Am | Em   :‖

‖: D | Am | Am | Em   :‖

Verse 1

    D   Amadd11
The lights go out and I can't be saved,
              Em7
Tides that I tried to swim against
    D   Amadd11
Have brought me down upon my knees,
          Em7
Oh, I beg, I beg and plead,
        D   Amadd11
Singing;   come out with things unsaid,
          Em7
Shoot an apple off my head
       D   Amadd11
And a   trouble that can't be named
         Em7
A tiger's waiting to be tamed singing . . .

Chorus 1

D   Am   Em
You ———— are,
D   Am   Em
You ————are.

Piano Riff 1   ‖: D | Am | Am | Em   :‖

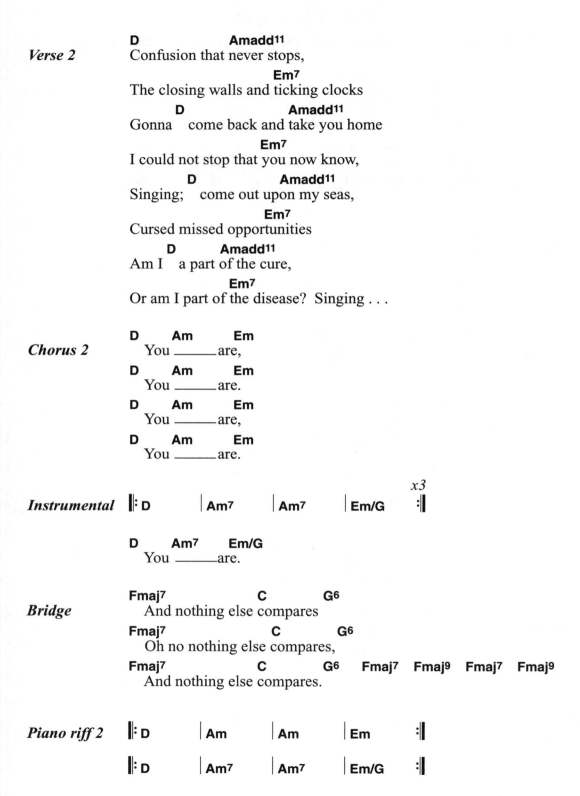

Verse 2

       D   **Amadd11**
Confusion that never stops,

                      Em7
The closing walls and ticking clocks

          D   **Amadd11**
Gonna   come back and take you home

                 Em7
I could not stop that you now know,

          D   **Amadd11**
Singing;   come out upon my seas,

                 Em7
Cursed missed opportunities

        D   **Amadd11**
Am I   a part of the cure,

               Em7
Or am I part of the disease? Singing . . .

Chorus 2

D   **Am**   **Em**
You ——are,

D   **Am**   **Em**
You ——are.

D   **Am**   **Em**
You ——are,

D   **Am**   **Em**
You ——are.

Instrumental

‖: **D** | **Am7** | **Am7** | **Em/G**   :‖ *x3*

D   **Am7**   **Em/G**
You ——are.

Bridge

Fmaj7   **C**   **G6**
And nothing else compares

Fmaj7   **C**   **G6**
Oh no nothing else compares,

Fmaj7   **C**   **G6**   **Fmaj7** **Fmaj9** **Fmaj7** **Fmaj9**
And nothing else compares.

Piano riff 2

‖: **D** | **Am** | **Am** | **Em**   :‖

‖: **D** | **Am7** | **Am7** | **Em/G**   :‖

Chorus 3

     D   **Am7**   **Em/G**
      You ——— are,

     D   **Am7**   **Em/G**
      You ——— are.

Outro

      D   **Am7**   **Em/G**
‖: Home, home, where I wanted to go.

     D   **Am7**   **Em/G**
Home, home, where I wanted to go. :‖   *Repeat to fade*

COCHISE

WORDS BY CHRIS CORNELL
MUSIC BY CHRIS CORNELL, TOM MORELLO, TIM COMMERFORD & BRAD WILK

Play the following riffs where indicated:

Riff 1 | E D B D B G E* E D B G E ‖

Riff 2 | E D B D B G E* D5 D#5 ‖

Riff 3 | E E A G E* G A B D ‖

Intro   **Riff 1** *Play 4 times*

Verse 1

          Riff 1
Well I've been watchin'

           Riff 1
While you've been coughin'

      Riff 1
I've been drinking life

         Riff 1
While you've been nauseous.

      Riff 1
And so I drink to health

      Riff 1
While you kill yourself

      Riff 1   **Riff 2**
And I've got just one thing that I can offer.

Chorus 1

Riff 3
Go on and save your - self,

Riff 3
And take it out on me,

Riff 3
Go on and save your - self,

Riff 3
And take it out on me, yeah.

Solo　　　　**Riff 1**　*Play 4 times*

Verse 2

Riff 1
I'm not a martyr,

Riff 1
I'm not a prophet

Riff 1
And I won't preach to you

Riff 1
But here's a caution,

Riff 1
You better understand

Riff 1
That I won't hold your hand,

Riff 1
But if it helps you man

Riff 2
Then I won't stop it.

Chorus 2

Riff 3
Go on and save your - self

Riff 3
And take it out on me,

Riff 3
Go on and save your - self

Riff 3
And take it out on me.

Riff 3
Go on and save your - self

Riff 3
And take it out on me

Riff 3
Go on and save your - self

Riff 3
And take it out on me, yeah.

Bridge

B5

Drown, if you want,

And I'll see you at the bottom
E5
Where you crawl on my skin

And put the blame on me
D5
So you don't feel a thing.

Link

Riff 3 *Play 4 times*

Chorus 3

Riff 3
Go on and save your - self
Riff 3
And take it out on me,
Riff 3
Go on and save your - self
Riff 3
And take it out on me.
Riff 3
Go on and save your - self
Riff 3
And take it out on me
Riff 3
Go on and save your - self
Riff 3 | **E5** **E5** ‖
And take it out on me, yeah.

DANCE TO THE UNDERGROUND

WORDS & MUSIC BY THOMAS WILLIAMS, ANTHONY ROMAN, GREG COLLINS & GERRARD GARONE

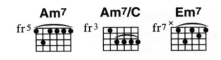

Am7   Am7/C   Em7

x5

Intro   ‖: Am7 | Am7/C | Am7 | Am7/C :‖

Verse 1
       Em7 Am7/C   Am7   Am7/C
Electrify   across the floor,
        Am7   Am7/C
No need to break up,
               Am7 Em7
We'll show you out the door.
        Am7   Am7/C
You ought to try
           Am7   Am7/C
Some different thing,
          Am7   Am7/C
Go count your blessings,
          Am7   Em7
Don't get caught between,
       Am7
In-between now.

Break 1   ‖: Am7 | Am7/C | Am7 | Am7/C :‖

Verse 2
        Am7 Em7
Can you deny
         Am7   Am7/C
That what you found
        Em7
Is just as suspect,
                Am7   Am7/C
And you're tryin' to play it down.
        Am7
Hell an' your little changes
     Am7/C
And the plans you make

cont.

          Am7
You've got new arrangements

       Am7/C
For the   sounds you make.

        Am7
There's no new attraction

       Am7/C
For your   satisfaction,

        Am7
You've done   too much thinking

      Am7/C
But your gut reaction's right.

Pre-chorus 1

  Em7
All right, all wrong, all right,

Chorus 1

Am7 **Em7**   **Am7**
    Dance to the under - ground,

Em7   **Am7**
Dance to the under - ground,

Em7   **Am7**
Dance to the under - ground,

Em7   **Am7**
Dance to the under - ground.

Break 2 | **Am7** | **Am7** | **Am7** | **Am7**   ‖

Verse 3

      Am7/C   **Am7**   **Am7/C**
Electrify,   it's a new regime,

       Am7   **Am7/C**
Become a literist,

            Am7   **Am7/C**
Venture towards extreme.

      Am7
Well your   little changes

    Am7/C
And the   plans you make,

      Am7
You've got   no arrangements

    Am7/C
For the   sounds we make.

Am⁷
cont.   There's a new attraction

       Am⁷/C
For your satisfaction,

      Am⁷
Don't you   catch the F-Train

     Am⁷/C
When it leaves Manhattan right.

Em⁷
Pre-chorus 2   All right, all wrong, all right.

Am⁷ Em⁷   Am⁷
Chorus 2   Dance to the under - ground,

Em⁷   Am⁷
Dance to the under - ground,

Em⁷   Am⁷
Dance to the under - ground,

Em⁷   Am⁷
Dance to the under - ground.

    Em⁷   Am⁷
Just go dance to the under - ground,

    Em⁷   Am⁷
Just go dance to the under - ground,

    Em⁷   Am⁷
Ha! Y'all   dance to the under - ground,

    Em⁷   Am⁷
I said dance to the under - ground.

    Em⁷   Am⁷
Now go dance to the under - ground,

    Em⁷   Am⁷
Now go dance to the under - ground,

     Em⁷   Am⁷
Ha! Y'all   dance to the under - ground,

   Em⁷   (Am⁷)
I said dance to the under - ground.

Outro   ‖: Am⁷ | Am⁷/C | Am⁷ | Am⁷/C :‖ *Repeat to fade*

DJ, DJ

WORDS & MUSIC BY TIM ARMSTRONG & ROBERT ASTON

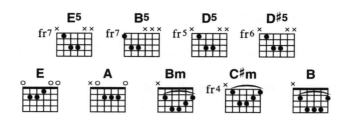

Intro

‖: E5 B5 D5 D#5 | E5 B5 D5 D#5 |

| E5 B5 D5 D#5 | E5 D#5 E5 D#5 E5 D#5 E5 D#5 :‖

Verse 1

   E   A   Bm
   Nobody move, no - body get hurt, they said
                        A   E
Make one wrong move, man, you wake up dead.
            A
I exercise my lyrical stylings
      Bm   A
And all the while you're dead and gone and forgotten,
         E   A
I said, oh, are they gonna come back for you?
Bm   A
No, aw, the story's sorry but true
E   A
Lord, did you really want them to go?
Bm   A
No, oh you're so goddamn cold.

Chorus 1

  C#m   B   A   E
  We're gonna make it on our own, we don't need any - one
                     B
Lord knows we don't need you, yeah
C#m   B   A   E
  We're gonna make it on our own, we don't need any - one
                     B
Lord knows we don't need you.
  N.C.   (E5)
(Watch me now)

Link 1

‖: E5 B5 D5 D#5 | E5 B5 D5 D#5 |

| E5 B5 D5 D#5 | E5 D#5 E5 D#5 E5 D#5 E5 D#5 :‖

Verse 2

              E   A
You got your ear to the street, then this bud's for you,

          Bm   A
You got my name in your mouth, then this slug's for you,

       E   A
Shot - gun, Fast Lane, on the Highway to Hell

        Bm   A
Sherm sticks, tall cans, and the powder that sells.

           E   A
Just tryin' to have somethin', and you sit back and laugh

       Bm   A
I'ma grab something, I'ma gettin' that half.

          E   A
We came too far now, no - where we can flop

       Bm   A
Wanna drop me, gotta kill me, only way I'ma stop.

        E   A
We got 808 sub - woofers in the trunk,

Bm   A
   Around the world with the Rancid Punx

E   A
This is for the misfits, the freaks and the runts,

Bm   A
Fuck the motherfuckin' back-stabbin' cunts.

E   A
Ride's gettin' rough, so I know I better buckle

Bm   A
P - U - N - X tattooed on my knuckles

E   A
  Hey man, you keep the shackles,

Bm   A
'Cause I am free.

Chorus 2

   C#m   B   A   E
     We're gonna make it on our own, we don't need any - one

B
Lord knows we don't need you, yeah.

   C#m   B   A   E
     We're gonna make it on our own, we don't need any - one

                B
Lord knows we don't need you.

  N.C.   (E5)
(Watch me now)

Link 2   *As Link 1*

Guitar Solo   ‖: E A │ Bm A │ E A │ Bm A :‖

Chorus 3

C#m   B   A   E
   We're gonna make it on our own, we don't need any - one
                            B
Lord knows we don't need you, yeah.
C#m   B   A   E
   We're gonna make it on our own, we don't need any - one
                            B
Lord knows we don't need you.

Verse 3

                    E   A
I heard you're losing your mind, shit, I been lost mine
        Bm   A
But I still stay focused through good and bad times,
                    E   A
Compare your worst fuckin' day to my best fuckin' night
        Bm   A
I bet my last red cent that you couldn't stand the sight,
        E   A
From loss of loved ones to life of drug funds
        Bm   A
They counted me out, from what? I'm not done.
                    E   A
Give me a chance to shine and I'ma blind the world
        Bm   A
Take a stand and be the voice of those who cannot be heard.

Chorus 4

C#m   B   A   E
   We're gonna make it on our own, we don't need any - one
                            B
Lord knows we don't need you, yeah.
C#m   B   A   E
   We're gonna make it on our own, we don't need any - one
                            B
Lord knows we don't need you.
    N.C.   (E5)
(Watch me now)

Outro

│ E5 B5 D5 D#5 │ E5 B5 D5 D#5 │

│ E5 B5 D5 D#5 │ E5 D#5 E5 D#5 E5 D#5 E5 D#5 │ E5   ‖

FAINT

WORDS & MUSIC BY CHESTER BENNINGTON, ROB BOURDON, BRAD DELSON, JOSEPH HAHN, MIKE SHINODA & DAVID FARRELL

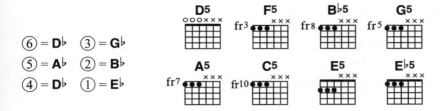

⑥ = D♭   ③ = G♭
⑤ = A♭   ② = B♭
④ = D♭   ① = E♭

Intro ‖: D5 | F5 | B♭5 | G5 A5 F5 :‖

Verse 1

        D5   F5
I am a little bit of loneliness, a little bit of disregard

                B♭5
Handful of complaints, but I can't help the fact

                   C5
That every- one can see these scars.

        D5   F5
I am what I want you to want, what I want you to feel,

                      B♭5
But it's like no matter what I do,

                         C5
I can't convince you, to just believe this is real.

        D5   F5
So I let go, watching you, turn your back like you always do,

B♭5
Face away and pretend that I'm not,

        C5
But I'll be here 'cause you're all that I've got.

Chorus 1

D5   F5
I can't feel   the way I did before
B♭5
   Don't turn your back on me
G5   A5 F5
I won't be ignored.
D5   F5
Time won't heal   this damage anymore
B♭5
   Don't turn your back on me
G5   A5 F5
I won't be ignored.

Verse 2

   D5   F5
I am a little bit insecure, a little unconfident
              B♭5
'Cause you don't understand, I do what I can,
           C5
But some - times I don't make sense.
   D5   F5
I say what you never wanna say but I've never had a doubt
           B♭5
It's like no matter what I do
                C5
I can't convince you for once just to hear me out
   D5   F5
So I let go watching you turn your back like you always do
B♭5
Face away and pretend that I'm not
     C5   │ C5   │
But I'll be here 'cause you're all that I've got.

Chorus 2   As Chorus 1

Bridge

D5   **A5 F5 E5 F5 E5**
Now

D5   **A5 F5 E5 F5 E5**
Hear me out now

D5 A5   **F5**   **E5 F5** **E5**   **D5** **A5 F5 E5 F5 E5**
  You're gon - na lis - ten to me, like it or   not

       D5   **A5 F5 E5 F5 E5**
Right now.

D5   **A5 F5 E5 F5 E5**
Hear me out now

D5 A5   **F5**   **E5 F5** **E5**   **D5** **A5 F5 E5 F5 E5**
  You're gon - na lis - ten to me, like it or   not

      D5
Right now.

N.C.
I can't feel the way I did before

Don't turn your back on me

I won't be ignored.

Chorus 3   As Chorus 1

   D5   **F5**
Outro   I can't feel   the

B♭5
   Don't turn your back on me

G5   **A5** **F5**
I won't be ignored.

D5   **F5 B♭5**
Time won't heal

G5   **A5** **F5**
   Don't turn your back on me

        E♭5
I won't be ignored.

FIGHT TEST

WORDS & MUSIC BY WAYNE COYNE, STEVEN DROZD, MICHAEL IVANS, DAVID FRIDMAN & CAT STEVENS

A   C#m   D   E   F#m

Intro

(The test begins. Now.)

| A | C#m | D | E | A | |
| F#m | E | E | E | E | |

Verse 1

          A   C#m
I thought I was smart, I thought I was right,
         D   E
I thought it better not to fight,
                    A   F#m   E
I thought there was a virtue in always being cool.
       A   C#m
So then came time to fight,
         D   E
I thought I'll just step a - side,
            A   F#m
And that the time would prove you wrong,
       E   A
And that you would be the fool.

Chorus 1

       A   C#m
I don't know where the sunbeams end
       D   E
And the star lights be - gin,
       A   F#m E | E |
It's all a mystery.

Verse 2

       A   C#m
Oh to fight is to de - fend,
         D
If it's not now then tell me
E   A   F#m   E
When would be the time that you would stand up and be a man.

cont.

        A   F#m
For to lose I could ac - cept,
          D   E
But to sur - render I just wept
                 A   F#m
And regretted this moment
        E
Oh that I,

Chorus 2

        A   C#m
I don't know where the sunbeams end
      D   E
And the star lights be - gin,
        A   F#m E
It's all a mystery.
            A   C#m
And I don't know how a man decides
      D   E
What's right for his own life,
        A   F#m E | E |
It's all a mystery.

Verse 3

           A   C#m
'Cause I'm a man, not a boy,
            D   E
And there are things you can't a - void,
         A
You have to face them,
        F#m   E
When you're not prepared to face them.
      A   C#m
If I could I would,
            D
But you're with him now,
        E
It do no good,
          A
I should have fought him
       F#m   E
But in - stead I let him,
        A
I let him take you.

Chorus 3

            A   **C♯m**
I don't know where the sunbeams end
       D   **E**
And the star lights be - gin,
        A   **F♯m** **E**
It's all a mystery.

          A   **C♯m**
And I don't know how a man decides
       D   **E**
What's right for his own life,
        A   **F♯m** **E**
It's all a mystery.

Bridge

D		D	E		E		E		D	
D		E		E		E		E		

Chorus 4

          A   **C♯m**
I don't know where the sunbeams end
      D   **E**
And the star lights be - gin,
       A
It's all a mystery.

        F♯m   **E**
(Won't you stand up and be a man)
        A   **C♯m**
And I don't know how a man decides
      D   **E**
What's right for his own life,
       A
It's all a mystery.

        F♯m   **E**
(When you're not prepared to face them.)
       A   **C♯m**
I don't know where the sunbeams end
      D   **E**
And the star lights be - gin,
       A
It's all a mystery.

        F♯m   **E** | **E** |
(But in - stead I let him take you)
           A
It's all a myste - ry.
   N.C.
(The test is over. Now.)

FORGET ABOUT TOMORROW

WORDS & MUSIC BY GRANT NICHOLAS

Asus⁴   Bm   G5   D/F#   A   Em   A5

Intro | Asus⁴ Bm | Bm | Asus⁴ Bm | Bm   ‖

Verse 1

Asus⁴ Bm   Asus⁴ Bm
Call - ing, (calling) dis - tort - ing,

    G5   D/F# Asus⁴
Reach the ends for you,

   G5   D/F# Asus⁴
Burn a hole right through.

Asus⁴ Bm   Asus⁴ Bm
Talk - ing, (talking) we keep talk - ing,

   G5   D/F# Asus⁴
Filling emp - ty space

   G5   D/F#   Asus⁴
In this lone - ly frame

    G5 D/F#   Asus⁴   D/F#
As the im - age fades into one.

Chorus 1

   G5   A Asus⁴ Bm
To - day it all feels fine,

  D/F#   G5   Asus⁴   Bm
A sense of freedom fills your mind,

   Em   D/F# G5
Can't think about to - morrow.

D/F#   G5   A Asus⁴ Bm
 Just breathe the air in - side

  D/F#   G5   Asus⁴   Bm
And bring on back that lonely smile,

   Em   D/F# G5
Can't think about to - morrow.

Link | Asus⁴ Bm | Bm | Asus⁴ Bm | Bm   ‖

Verse 1

Asus⁴ Bm   Asus⁴ Bm
Twist- ing (twisting), con - strict - ing,

      G⁵   D/F♯ Asus⁴
On the edge for   you,

      G⁵   D/F♯ Asus⁴
You know I'd jump right through.

Asus⁴ Bm   Asus⁴ Bm
Fall - ing (falling), we keep stall - ing,

  G⁵ D/F♯ Asus⁴
I can see the   ground,

      G⁵   D/F♯ Asus⁴
Some place near to   land,

      G⁵   D/F♯ Asus⁴   D/F♯
As the im - age   fades into one.

Chorus 2

     G⁵   A Asus⁴ Bm
To - day it all feels   fine,

  D/F♯   G⁵   Asus⁴   Bm
A sense of freedom fills your mind,

    Em   D/F♯ G⁵
Can't think about to - morrow.

D/F♯   G⁵   A Asus⁴ Bm
  Just breathe the air in - side,

    D/F♯   G⁵   Asus⁴ Bm
And bring on back that lonely smile,

    Em   D/F♯ G⁵
Can't think about to - morrow,

    Em   D/F♯ G⁵
Can't think about to - morrow,

Bridge

     Bm G⁵ D/F♯   A   Em   Bm
Because you, feel your - self fall apart a - gain,

  G⁵   D/F♯ A   Em   Bm
You hold your face in - side your aching hands,

  G⁵   D/F♯ A   Em   Bm
The an - gels tears come flooding down a - gain,

G⁵   D/F♯ A⁵ | A⁵ | A⁵ | A⁵   ‖
Bring us   back again.

Link 2 | **Asus⁴ Bm** | **Bm** | **Asus⁴ Bm** | **Bm**   ‖

Verse 3

Asus⁴ Bm   **Asus⁴ Bm**

Yearn - ing, re - turn - ing,

     '   **G⁵**   **D/F♯ Asus⁴**

To this emp - ty   street

      G⁵   **D/F♯ Asus⁴**

As the ci - ty   sleeps.

Asus⁴ Bm   **Asus⁴ Bm**

Tear - ing, (tearing) des - pair - ing

     G⁵ D/F♯   **Asus⁴**

As the day comes in,

     G⁵   **D/F♯**   **Asus⁴**

As the morn - ing   sings

     G⁵   **D/F♯ Asus⁴**   **D/F♯**

As the im - age   fades into one.

Chorus 3

     G⁵   **A Asus⁴ Bm**

To - day it all feels   fine,

   D/F♯   **G⁵**   **Asus⁴**   **Bm**

A sense of freedom fills your mind,

     Em   **D/F♯ G⁵**

Can't think about to - morrow.

D/F♯   **G⁵**   **A Asus⁴ Bm**

Just breathe the air in - side,

    D/F♯   **G⁵**   **Asus⁴ Bm**

And bring on back that lonely smile,

     Em   **D/F♯ G⁵**

Can't think about to - morrow,

    G⁵   **A Asus⁴ Bm**

To - day it all feels   fine,

   D/F♯   **G⁵**   **Asus⁴**   **Bm**

A sense of freedom fills your mind,

     Em   **D/F♯ G⁵**

Can't think about to - morrow.

D/F♯   **G⁵**   **A Asus⁴ Bm**

Just breathe the air in - side,

    D/F♯   **G⁵**   **Asus⁴ Bm**

And bring on back that lonely smile,

     Em   **D/F♯ G⁵**

Can't think about to - morrow,

     Em   **D/F♯ G⁵**

Can't think about to - morrow.

GAY BAR

WORDS & MUSIC BY TYLER SPENCER, JOSEPH FREZZA, STEPHEN NAWARA, ANTHONY SELPH & COREY MARTIN

D · F · G · C# · C · A · D5 · C5

Intro ┌─ **riff** ─────────────┐
‖: **D D F G F D C#** | **C C A A C C# A** :‖ *Repeat 4 times*

Verse 1
riff   **riff**
Girl, I wanna take you to a gay bar,
     riff
I wanna take you to a gay bar,
      D5 N.C.   **riff**
I wanna take you to a gay bar, gay bar, gay bar.

Verse 2
      riff
Let's start a war,
     riff
Start a nuclear war,
   D5 N.C.
At the gay bar, gay bar, gay bar.

Instrumental 1 | **D5** | **C5** | **D5** | **C5** | **D5** | **C5** | **D5** | **C5** | |
                                                At the gay bar!
| **D5** | **C5** | **D5** | **C5** | **D5** | **C5** | **D5** | **C5** ‖

      riff
Now tell me do ya?
      riff
Do ya have any money?
         riff
I wanna spend all your money
    D5   **C5 D5**
At the gay bar, gay bar, gay bar.

Link   ┌─ **riff** ─────────────────────┐
             ‖: **D D F G F D C♯**│**C C A A C C♯A** :‖ *Repeat 4 times*

Verse 4
                                 riff
I've got something to put in you.
                                 riff
I've got something to put in you.
                             riff
I've got something to put in you.
        D5   **C5**
At the gay bar, gay bar, gay bar.

Instrumental 2│ **D5**   │ **C5**   │ **D5**   │ **C5**   │

               │ **D5**   │ **C5**   │ **D5**   │ **C5**   ‖

Outro
                     D5 **C5**   **D5** **C5**
You're a super - star,   at the gay bar.
                     D5 **C5**   **D5** **C5**
You're a super - star,   at the gay bar.
                         D5 **C5**   **D5** **C5**
Yeah, you're a super - star,   at the gay bar.
                     D5 **C5**
You're a super - star,   at the gay bar.
  D5 **C5**   **D5**
    Superstar.

GO WITH THE FLOW

WORDS & MUSIC BY JOSH HOMME & NICK OLIVERI

E5   C5   A5   D5

Intro | E5 | E5 | C5 | A5 ||

| E5 | E5 | C5 | A5 ||

| E5 | E5 ||

Verse 1

C5   A5   E5
She said "I'll throw myself a - way,

C5   A5   E5
They're just photos after all"

C5   A5   E5
I can't make you hang a - round.

C5   A5   E5
I can't wash you off my skin.

C5   A5   E5
Outside the frame,   is what we're leaving out

C5   A5   E5
You won't re - member any - way.

Chorus 1

     C5 D5   E5
I can go   with the flow

         C5   D5   E5
But don't say it doesn't, matter, (with the flow) matter anymore.

     C5 D5   E5
I can go   with the flow

      C5   D5   E5
(I can go) do you be - lieve it in your   head?

Verse 2

C5   A5   E5
It's so safe to play a - long

C5   A5   E5
Little soldiers in a row

C5   A5   E5
Falling in and out of love

C5   A5   E5
With something sweet to throw a - way.

C5   A5   E5
But I want something good to die for

C5   A5   E5
To make it beautiful to live.

C5   A5   E5
I wanna new mistake, lose is more than hesitate.

C5   A5   E5
Do you be - lieve it in your head?

Chorus 2

     C5 D5   E5
I can go   with the flow

         C5   D5   E5
But don't say it doesn't, matter, (with the flow) matter anymore.

     C5 D5   E5
I can go   with the flow

         C5   D5   E5
(I can go) do you be - lieve it in your head?

Outro

C5   D5   E5
Do you be - lieve it in your   head?

C5   D5   E5
Do you be - lieve it in your   head?

‖: C5 | D5 | E5 | E5 :‖ *Play 4 times*

HARMONIC GENERATOR

WORDS & MUSIC BY CHRISTIAN DATSUN, DOLF DE DATSUN, MATT DATSUN & PHIL DATSUN

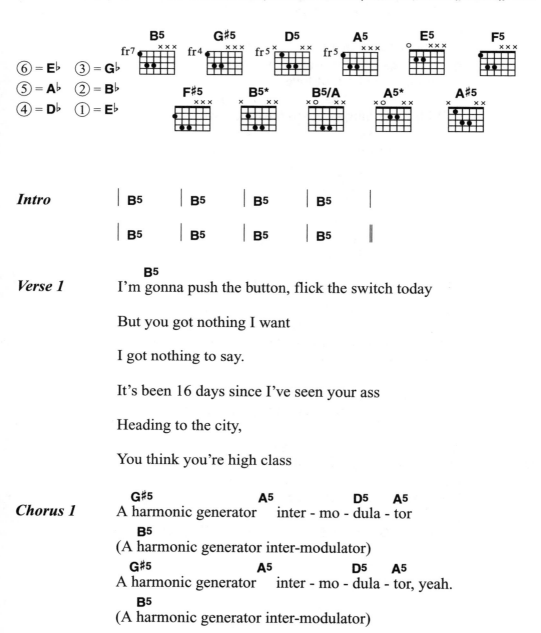

⑥ = E♭   ③ = G♭
⑤ = A♭   ② = B♭
④ = D♭   ① = E♭

Intro

| B5 | B5 | B5 | B5 |

| B5 | B5 | B5 | B5 ‖

Verse 1

B5
I'm gonna push the button, flick the switch today

But you got nothing I want

I got nothing to say.

It's been 16 days since I've seen your ass

Heading to the city,

You think you're high class

Chorus 1

G♯5   A5   D5   A5
A harmonic generator   inter - mo - dula - tor
B5
(A harmonic generator inter-modulator)
G♯5   A5   D5   A5
A harmonic generator   inter - mo - dula - tor, yeah.
B5
(A harmonic generator inter-modulator)

Verse 2
B5
Wearing next to nothing she's out of control

She like to shake what she got from her head to her toe,

She's got big yellow eyes lighting up like Christmas

Turning tricks baby,

Electric Mistress.

Chorus 2   As Chorus 1

Solo | B5 | B5 | B5 | B5 |

| B5 | B5 | B5 | B5   ‖

Chorus 3   As Chorus 1

Bridge
F#5   **E5 F5 F#5**
Come on now let's shake it down

Into a harmonic generator

Here we go I said...

Yeah, yeah, watch out!

Solo 2 | **B5** | **B5** | **B5** | **B5** |
Yeah!
| **B5** | **B5** | **B5** | **B5**   ‖

       G♯5   **A5**   **D5**   **A5**

Chorus 4   Like a harmonic generator   inter - mo - dula - tor

     B5
(A harmonic generator inter-modulator)

    G♯5   **A5**   **D5**   **A5**
A harmonic generator   inter - mo - dula - tor, well I know!

(A harmonic generator inter-modulator)

Outro | **B5** | **B5** | **B5** | **B5**

| **B5** | **B5** | **B5** | **B5**

   B5*   **B5/A** **B5***   **B5/A** **B5***   **A5***   **A♯5**
A harmon - ic   generat - or   inter-mo - dula - tor
   B5*   **B5/A** **B5***   **B5/A** **B5***   **A5***   **A♯5**
A harmon - ic   generat - or   inter-mo - dula - tor
   B5*   **B5/A** **B5***   **B5/A** **B5***   **A5***   **A♯5**
A harmon - ic   generat - or   inter-mo - dula - tor
   B5*   **B5/A** **B5***   **B5/A** **B5***   **A5***   **A♯5**
A harmon - ic   generat - or   inter-mo - dula - tor,
B5*
Yeah.

HONESTLY
WORDS & MUSIC BY BILLY CORGAN

D   A   Bm   G   Em

Intro

    D A Bm   G
         I be - lieve,

    D   A   Bm   G
    I be - lieve,   I be - lieve,

Verse 1

    D   A   Bm   G   D
    I be - lieve the   love you talk about with me
        A   G
    Is it true? Do I care?
            D   A   Bm   G   D
    Honest - ly, you can try   to wipe the memories a - side
        A   G
    But it's you that you e - rase.

Pre-chorus 1

              D   A   Bm   G
    'Cause there's no place that I could be without you
           D   A   Bm   Em
    It's too far to discard the life I once knew
           G   Em   D   A
    Honest - ly, all the weather storms are bringing
    G   Em   D
        Are just a picture of my needs.

Chorus 1

              A   Bm
    'Cause when I think of you as mine
           G   D
    And all - ow myself with time
           A   G
    To lead in - to the life we want,
        Em   D   A
    I feel loved, honest - ly
        Bm G   D A G
    I feel loved   this honest - ly.

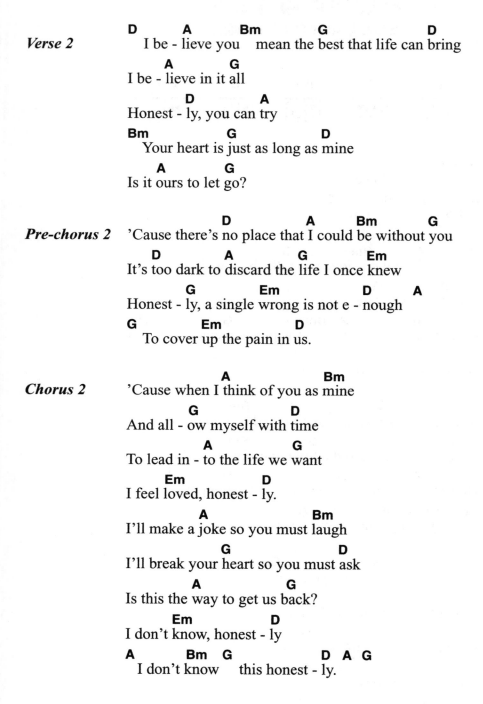

Verse 2

     D   A   Bm   G   D
I be - lieve you   mean the best that life can bring

     A   G
I be - lieve in it all

       D   A
Honest - ly, you can try

Bm   G   D
  Your heart is just as long as mine

   A   G
Is it ours to let go?

Pre-chorus 2

           D   A   Bm   G
'Cause there's no place that I could be without you

   D   A   G   Em
It's too dark to discard the life I once knew

       G   Em   D   A
Honest - ly, a single wrong is not e - nough

G   Em   D
  To cover up the pain in us.

Chorus 2

        A   Bm
'Cause when I think of you as mine

      G   D
And all - ow myself with time

     A   G
To lead in - to the life we want

 Em   D
I feel loved, honest - ly.

    A   Bm
I'll make a joke so you must laugh

      G   D
I'll break your heart so you must ask

   A   G
Is this the way to get us back?

  Em   D
I don't know, honest - ly

A   Bm G   D A G
  I don't know   this honest - ly.

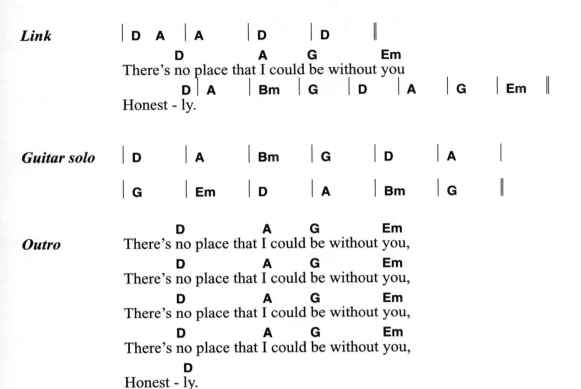

Link || D A | A | D | D ||

              D   A   G   Em
There's no place that I could be without you
              D A | Bm | G | D | A | G | Em ||
Honest - ly.

Guitar solo | D | A | Bm | G | D | A |

                | G | Em | D | A | Bm | G ||

Outro
              D   A   G   Em
There's no place that I could be without you,
              D   A   G   Em
There's no place that I could be without you,
              D   A   G   Em
There's no place that I could be without you,
              D   A   G   Em
There's no place that I could be without you,

              D
Honest - ly.

HYSTERIA

WORDS & MUSIC BY MATTHEW BELLAMY, CHRIS WOLSTENHOLME & DOMINIC HOWARD

Am   E   D5   Dm   C5 fr3   G5 fr3   D5* fr5   A5 fr5

Intro
(bass)

| (Am) | (E) | (D) | (Am) |

| (Am) | (E) | (D) | (Am) |

‖: (Am) | (E) | (Dm) | (Am) :‖

Verse 1

      Am   E
It's bugging me, grating me
     D5   Am
And twisting me around.———
       Am   E
Yeah I'm endlessly caving in
     D5   A5
And turning inside out.

Chorus 1

        C5
I want it now,
      G5
I want it— now,
D5*   A5
   Give me your heart and your soul.
         C5
And I'm breaking out,
      G5
I'm breaking— out,
D5*   E
   Last chance to lose control.___

Link

| (Am) | (E) | (Dm) | (Am) ‖

Verse 2

          Am   E
Yeah it's holding me, morphing me

     D5   Am
And forcing me to strive.——

       Am   E
To be endlessly cold within

D5   A5
Dreaming I'm alive.

Chorus 2

           C5
'Cause I want it now,

     G5
I want it— now,

D5*   A5
  Give me your heart and your soul.

           C5
And I'm breaking down,

     G5
I'm breaking   out,

D5*   A5
  Last chance to lose control.

Instrumental

| (E) | (E) | (E) | (E) ‖

| (Am) | (E) | (Dm) | (Am) | (Am) | (E) |

| (Dm) | (E) ‖: C5 | G5 | D5* | A5 :‖

Chorus 3

(A5)
  And I want you now,

     G5
I want you— now,

D5*   A5
  I feel my heart im - plode.——

          C5
And I'm breaking out,

     G5
Escaping— now,

D5*   A5
  Feeling my faith erode.

Outro

| (E) | (E) | (E) |

| (E) | (E) | (E) | (E) ‖

47

I JUST DON'T KNOW WHAT TO DO WITH MYSELF

WORDS BY HAL DAVID
MUSIC BY BURT BACHARACH

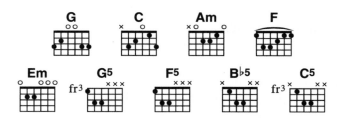

Intro

|| G C | G N.C. | G C | G N.C. ||

Chorus 1

              G   **C**   **G**
I just don't know what to do with my - self,
           C   **G**
I don't know what to do with my - self,

Verse 1

Am
     Planning everything for two,
F
     And doing everything with you,
     Em   **A**
And now that we're through,
           G   **C G**
I just don't know what to do.

Chorus 2

N.C.   **G**   **C**   **G**
I just don't know what to do with my - self,
N.C. G   **C**   **G**
I don't know what to do with my - self,

Verse 2

Am
     Movies only make me sad,
F
     And parties make me feel as bad,
     Em   **A**
'Cause I'm not with you,
        G   **C G**
I just don't know what to do.

Bridge1

             G5
Like a summer rose,

                F5
Needs the sun and rain,

           B♭5
I need your sweet love

F5   **C5**
   To beat love a - way.

Chorus 3

N.C.   **G**   **C**   **G**
Well I don't know what to do with my - self,

N.C.   **G**   **C**   **G**
Just don't know what to do with my - self.

Verse 3

Am
  Planning everything for two,

F
  And doing everything with you,

     Em   **Am**
And now that we're through,

        G   **C** **G**
I just don't know what to do.

Bridge 2

As Bridge 1

Outro

N.C.   **G5**   **F5**   **G5**
I just don't know what to do with my - self,

                F5   **G5**
Just don't know what to do with my - self,

                F5   **G5**
Just don't know what to do with my - self,

             F5   **G5**
I don't know what to do with my - self.

JERK IT OUT

WORDS & MUSIC BY JOCKE AHLUND

G#m   B   F#   E

Intro | G#m B | F# E | G#m B | F# E | G#m B | F# E ||

Verse 1

G#m   B
Wind me up, put me down

F#   E   G#m B F# E
Start me off and watch me go

G#m   B   F#   E   G#m B F# E
I'll be running circles a - round you sooner than you know

   G#m   B
A little off centre

        F#   E
And I'm out of tune

    G#m   B   F#   E
Just kickin' this can along the ave - nue

    G#m   B F# E
But I'm alright.

Chorus 1

       E   G#m
'Cause it's easy once you know how it's done

   F#   G#m
You can't stop now it's al - ready begun

      E   G#m   F#
You feel it running through your bo - ones.

N.C.   G#m B F# E   G#m   B F# E
And you jerk it out,   and you jerk it out.

Verse 2

G#m   B
Shut up, hush your mouth

F#   E   G#m B F# E
Can't you hear you talk to loud?

   G#m   B   F#   E   G#m B F# E
No I can't hear nothing 'cause I got my head up in the clouds.

   G#m   B   F#   E
I bite off anything that I can chew

cont.

        G♯m   **B**   **F♯**   **E**
I'm chasing cars up and down the ave - nue

        G♯m   **B F♯ E**
But that's ok.

Chorus 2

               E   **G♯m**
'Cause it's easy once you know how it's done

      F♯   **G♯m**
You can't stop now it's al - ready begun

       E   **G♯m**   **F♯**
You feel it running through your bo - ones,

N.C.
So you jerk it out.

Drums

Drums 8 bars

Instrumental ‖: **G♯m B** | **F♯ E** | **G♯m B** | **F♯ E** :‖

Chorus 3

               E   **G♯m**
'Cause it's easy once you know how it's done

      F♯   **G♯m**
You can't stop now it's al - ready begun

       E   **G♯m**   **F♯**
You feel it running through your bo - ones, and you jerk it out.

| **E** | **G♯m** | **F♯** | **G♯m** | **E** | **G♯m** | **F♯** | **F♯**   **N.C.** | ‖
And you jerk it out.

Outro

    G♯m B F♯ E   **G♯m B F♯ E** |
                   And you jerk it out.

       G♯m   **B**   **F♯**
And you jerk it out, oh baby don't you know

            E   **G♯m**   **B F♯ E**
You really gotta jerk it out.

       G♯m   **B**   **F♯**
And you jerk it out, oh baby don't you know

            E   **G♯m**   **B F♯ E**
You really gotta jerk it out.

      G♯m   **B**   **F♯**
Well you jerk it out, oh baby don't you know

            E   **G♯m**   **B F♯ E**
You really gotta jerk it out.

| **G♯m B** | **F♯ E** | **G♯m B** | **F♯ E** | **G♯m** | ‖

LOOSEN YOUR HOLD

WORDS & MUSIC BY JOEL CADBURY, JAMES McDONALD & BRETT SHAW

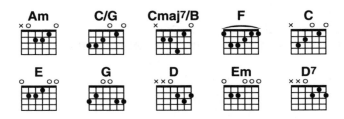

Am   C/G   Cmaj⁷/B   F   C

E   G   D   Em   D⁷

Intro

‖: Am C/G | Cmaj⁷/B Am | C/G F | C E :‖

Verse 1

```
Am        C/G              Cmaj⁷/B      F
Feed me something, we'll go back to the start
        C/G    F       C       E
Take pride of place, under - stand our reasons.
     Am      C/G  Cmaj⁷/B    Am
A photo - graph taken at the time
        C/G    F        C      E   | E        |
When confi - dence won't up and leave.
```

Link

| Am | G D ‖

Chorus 1

```
      Am          Em
So loosen your hold,
        G                    D⁷
Though you might be frightened
      Am          Em
Re - lease or be caught
      G          D⁷
If this be the right thing
      Am          Em
Un - able by thought
      G              D⁷        Am Em
To look what the tide brings in,
G              D⁷          (Am)
Look what the tide brings in.
```

Link 2   ‖: Am C/G │ Cmaj7/B Am│ C/G F │ C E :‖

Verse 2   As Verse 1

Chorus 2   As Chorus 1

Instrumental   ‖: Am Em │ G D7 │ Am Em │ G D7 :‖

Chorus 3

      Am   Em
So loosen your hold,

          G   D7
Though you might be frightened

       Am   Em
Re - lease or be caught

      G   D7
If this be the right thing

       Am   Em
Un - able by thought

      G   D7   Am Em│ G D7 │ Am ‖
To look what the tide brings in.

HURT

WORDS & MUSIC BY TRENT REZNOR

Am   C   Dsus2   Am7   Fadd9   C*   G

Intro | Am | C Dsus2 | Am | C Dsus2 ||

Verse 1

```
Am  C      Dsus2   Am
  I hurt my - self   to - day,
    C    Dsus2  Am
To see if I still    feel.
    C    Dsus2       Am
I focus      on the pain,
      C    Dsus2      Am
The only thing that's real.
      C    Dsus2      Am
The needle tears a  hole
      C      Dsus2    Am
The old fa - miliar  sting,
        C    Dsus2     Am
Try to kill it       all a - way,
            C     Dsus2 G
But I re - member every - thing.
```

Chorus 1

Am⁷   Fadd⁹ C*
What have I be - come?

            G
My sweetest friend.

Am⁷   Fadd⁹
Everyone I know,

        C*   G
Goes a - way in the end.

    Am⁷   Fadd⁹
And you could have it all,

G
My empire of dirt.

Am⁷   Fadd⁹
I will let you down,

G   Am | C Dsus² | Am | C Dsus² ‖
I will make you hurt.

Verse 2

Am   C   Dsus²   Am
    I wear this crown of thorns

    C   Dsus²   Am
Up - on my liars   chair

C   Dsus² Am
Full of broken thoughts,

C   Dsus²   Am
I can - not   re - pair.

    C   Dsus²   Am
Be - neath the stains of time,

    C   Dsus²   Am
The feelings   disap - pear,

C   Dsus²   Am
You are someone else,

C   Dsus²   G
I am still right here.

Chorus 2

Am7   Fadd9 C*
What have I be - come?

        G
My sweetest friend.

Am7   Fadd9
Everyone I know,

      C*   G
Goes a - way in the end.

    Am7   Fadd9
And you could have it all,

G
My empire of dirt.

Am7   Fadd9
I will let you down,

G
I will make you hurt.

  Am7   Fadd9
If I could start a - gain,

   G
A million miles away,

Am7   Fadd9
I would keep my - self

G*
I would find a way.

MADAME HELGA

WORDS & MUSIC BY KELLY JONES, RICHARD JONES & STUART CABLE

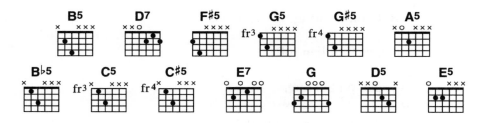

Intro   ‖: B5 | B5 | B5 | B5 :‖

Verse 1

B5
Mary Mary where you been?

You've been out all night

You ain't got no sleep.

She said "I've been dancing in the hills

At a place I know"

She said "And that's the place

Where the fire flies glow."

Pre chorus 1

D7
Had to slap my white face

Pull my head from the clouds
                    F#5   G5   G#5   A5   B♭5
And I kept buying and, lying and flying, re - lying and dying
      B5   C5   C#5
To know what spins her world a - round.

Chorus 1
      D7
      Good morning I missed ya,
      E7
      But you're bringing me down,
      G
      I saw an Indian roller
      D7
      Today on the line.
      D7
      It was the forty eighth hour,
      E7
      We fought our forty-eighth fight,
      G
      At Madame Helga's folly
      D7   **D5**
      Is where I spent last night.

Verse 2
              B5
      She's been married not once

      Not twice, but three.

      And that's the livin' lovin' woman

      I want me to be.

      There were pictures and paintings

      Of freaks like me,

      So I drank with my devil

      For my company.

Pre chorus 2   As Pre chorus 1

Chorus 2   As chorus 1

Bridge | B5 | B5 | B5 | B5 |

            | B5 | B5 | B5 | E5 | E5   ‖

Chorus 3

D7
Good morning I missed ya,

E7
But you're bringing me down,

G
I saw an Indian roller

D7
Today on the line.

D7
It was the forty eighth hour,

E7
We fought our forty eighth fight,

G
At Madame Helga's folly

D7   F♯5 G5 G♯5 | A5 | B♭5 B5 C5 | C♯5 | D7 ‖
Is where I spent last night.___

MAPS

WORDS & MUSIC BY KAREN O, NICHOLAS ZINNER & BRIAN CHASE

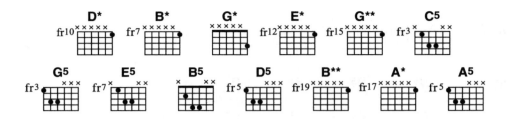

Intro

| D* | D* | D* | D* |

| D* | D* | D* | D* |

Verse 1

      B*   G*
Pack up, I'm straight,

       B*   D*
I'm not, oh say, say, say

       B*
Oh say, say, say

       G*
Oh say, say, say

       E*
Oh say, say, say,

       G**
Oh say, say, say.

Chorus 1

       C5   G5
Wait, they don't love you like I love you,

       E5   G5
Wait, they don't love you like I love you,

       C5   B5
Ma - a - a - a - a - a - a - a - a - a - ps,

       D5   G5
Wait, they don't love you like I love you.

Link 1 ‖ **B** A*** | **G**** | **E* D*** | **G**** ‖

Verse 2

 B* **G***
Made off, don't stray,

 B*
Well my kind's your kind

 D*
I'll stay the same.

 B* **G***
Pack up, don't stray

 E*
Oh say, say, say,

 G**
Oh say, say, say.

Chorus 2

C5 **G5**
Wait, they don't love you like I love you,

E5 **G5**
Wait, they don't love you like I love you,

C5 **B5**
Ma - a - a - a - a - a - a - a - a - a - ps,

D5 **G5**
Wait, they don't love you like I love you,

C5 **G5**
Wait, they don't love you like I love you,

E5 **G5**
Ma - a - a - a - a - a - a - a - a - a - ps.

C5 **B5** **D5 G5**
Wait, they don't love you like I love you.

Solo | C5 | G5 A5 | C5 | G5 A5 |

 | C5 | G5 A5 | C5 | B5 G5 |

 | C5 | A5 D5 | G5 | G5 D5 |

 | C5 | A5 D5 | G5 | G5 D5 |

C5   G5
Chorus 3 Wait, they don't love you like I love you,

E5   G5
Wait, they don't love you like I love you,

C5   B5
Ma - a - a - a - a - a - a - a - a - a - a - ps,

D5   G5
Wait, they don't love you like I love you.

C5   G5
Wait, they don't love you like I love you,

E5   G5
Ma - a - a - a - a - a - a - a - a - a - a - ps.

C5   B5   D5 G5
Wait, they don't love you like I love you.

Outro | C5 | G5 A5 | C5 | G5 A5 |

 | C5 | G5 A5 | C5 | B5 A5 G5 ‖

62

MOLLY'S CHAMBERS

WORDS & MUSIC BY CALEB FOLLOWILL, NATHAN FOLLOWILL & ANGELO PETRAGLIA

F#   F#/E   B   A   D   B*   D*

riff

| F# F#/E F# F#/E F# F#/E ‖

Intro   Play riff 8 times

Verse 1
    riff   riff
Free is all that she could bleed
                         riff   riff
That's why'll she'll never stay
riff   riff
White bare naked in the night
                riff   riff
And lookin' for some play.
         riff   riff
Just another girl that wants to rule the world
        riff   riff
Any time or place,
     riff   riff
And when she gets into your head
               riff   riff
You know she's there to stay.

Chorus 1

B
You want it
A
She's got it
riff   **riff**
Molly's chamber's gonna change your mind
B
She's got your,
D
Your pistol.
riff   **riff**
Molly's chamber's gonna change your mind
riff   **riff**
Molly's chamber's gonna change your mind.

Verse 2

riff   **riff**
Slow, she's burnin' in your soul
                                riff   **riff**
With whispers in your ear.
                riff   **riff**
It's o - kay I'll give it any - way
                              riff   **riff**
Just get me outta here.
                riff   **riff**
You'll plead, you'll get down on your knees
                              riff **riff**
For just another taste,
                riff   **riff**
And when you think she's let you in
                              riff   **riff**
That's when she fades a - way.

Chorus 2   As Chorus 1

Guitar solo | B* D* | F# | B* D* | F# |

                | B* D* | F# | A | B   ‖

Chorus 3
B
    You want it
A
    She's got it
riff   **riff**
Molly's chamber's gonna change your mind
B
    She's got your,
D
    Your pistol
riff   **riff**
Molly's chamber's gonna change your mind.
B
    You want it
A
    She's got it
                                  riff
Molly's chamber's gonna change your mind
B
    She's got your,
D   **N.C.**
Your pistol.

MOBSCENE
WORDS & MUSIC BY BRIAN WARNER & JOHN LOWERY

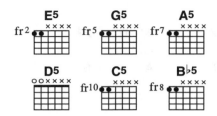

⑥ = D   ③ = G
⑤ = A   ② = B
④ = D   ① = E

Riff

┌─ riff ──┐
| E5 E5 E5 G5 G5 E5 A5 | A5(bend) E5 G5 E5 D5 E5 D5 ‖

Intro   Play riff 4 times

Verse 1
            D5
"Ladies and gentlemen"
     E5 D5   E5 D5
We are the things and shapes to   come
                E5 D5
Your freedom's not free and dumb
          E5 D5
This depression is great
         E5 D5
The defamation   age
        E5 D5
They know my   name
               E5   D5   E5 D5
Waltzing to scum, and base and married to the pain.

Pre-chorus 1
            E5 D5
Pain - we want it
            E5 D5
Pain - we want it
        E5 D5
Pain, pain, pain, pain, pain!

Chorus 1

E⁵ D⁵ riff

You came to see the mobscene,

riff

I know it isn't your scene.

riff

It's better than a sex scene,

riff

And it's so fucking obscene,

Obscene, yeah.

Bridge 1

A⁵

  You want commitment

C⁵

  Put on your best suit,

A⁵

Get your arms around me

C⁵

Now we're going down, down, down.

A⁵

  You want commitment

C⁵

  Put on your best suit

B♭⁵

Get your arms around me

Now we're going down, down, down.

Link 1

D⁵   **E⁵ D⁵**

Be obscene

          E⁵ D⁵

Be, be obscene

        E⁵ D⁵

Be obscene, ba - by

        E⁵ D⁵

Not heard.

Verse 2

The day that love

E⁵ D⁵

Opened our eyes

E⁵ D⁵

We watched the world   end

E⁵   D⁵

We have high places,

E⁵ D⁵

But we have no friends

E⁵ D⁵

They told us sin's not   good,

E⁵ D⁵

But we know it's   great,

E⁵   D⁵

War-time, Full-Front - al   Drugs,

E⁵ D⁵

Sex-Tank Armor   plate.

Pre-chorus 2   As Pre-chorus 1

Chorus 2   As Chorus 1

Bridge 2   As Bridge 1

D⁵   **E⁵ D⁵**

Link 2   *Be obscene*

E⁵ D⁵

Be, be obscene

E⁵   D⁵

Be obscene, ba - by

E⁵ D⁵

Not heard.

D⁵   **E⁵ D⁵**

Be obscene

E⁵ D⁵

Be, be obscene

E⁵   D⁵

Be obscene, ba - by

E⁵ D⁵

Not heard.

Link 3

| D5 E5 D5 | D5 E5 D5 | D5 E5 D5 | D5   E5 D5 ‖

You came to see the

Chorus 3

   D5   E5 D5

Mobscene

  E5 D5   E5 D5

I know it is - n't your scene,

         E5   D5   E5 D5

It's better than a sex scene,

         E5   D5

And it's so fuck - ing obscene,

     D5

Ob - scene, yeah.

Bridge 3   As Bridge 1

Outro

E5   G5 E5 A5   E5   G5 E5   D5 E5 D5

  Lad - ies and gentlemen,   live your dreams,

E5   G5   E5 A5   E5 G5 E5

Be ob - scene,   be, be   obscene,

Riff

Be obscene, be, be obscene,

Riff

Be obscene ba - by, not heard.

Riff

Be obscene, be, be obscene,

E5 E5 E5 G5 G5   E5 A5

Be   ob - scene   ba - by, not heard.

                 E5 E5 E5 G5 G5   E5 E5

Pain, pain, pain, pain, pain!

PROMISES PROMISES

WORDS & MUSIC BY BEN GAUTREY, DANIEL FISHER, DAVID HAMMOND, JONATHAN HARPER, KIERAN MAHON & TOM BELLAMY

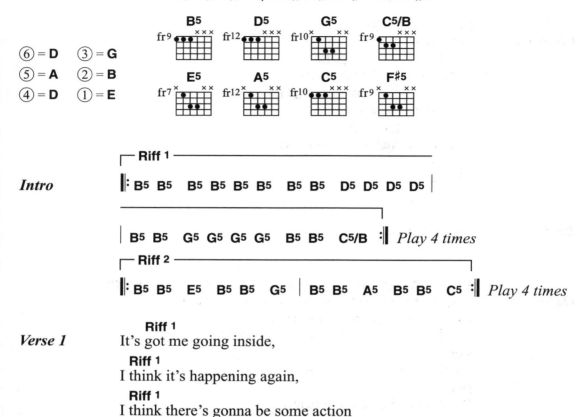

Intro

Riff 1

‖: B5 B5 B5 B5 B5 B5 B5 B5 D5 D5 D5 D5 |

| B5 B5 G5 G5 G5 G5 B5 B5 C5/B :‖ *Play 4 times*

Riff 2

‖: B5 B5 E5 B5 B5 G5 | B5 B5 A5 B5 B5 C5 :‖ *Play 4 times*

Verse 1

  Riff 1
It's got me going inside,

  Riff 1
I think it's happening again,

  Riff 1
I think there's gonna be some action

    Riff 1
'Cause it's got me going inside.

Pre-chorus 1

    Riff 2
You got me where you want me,

Riff 2
Sit down and talk to me,

    Riff 2
Well I just hope you're happy,

    Riff 2
With your snakeskin dead bodies, "Evening all!"

Chorus 1

    C5   D5
Just go, go back to your bright lights,
B5
  You made promises you couldn't keep,

	C5		**D5**

cont.
　　　　　C5　　　　　　　　　　　　　　　　　**D5**
Sicking up red, doll more than you know,
　　　　B5
Just keep your mouth shut you've got no - one to blow,
　　　　　　C5
You celebrate things, you celebrate things
　　　　D5　　　　　　　　　　**E5**
For - get about me, and just desecrate everything.
　　　　　　　　　　D5
Oh you messed it up good,
　　　　　　　　　　A5　　**B5** **D5** **E5** **F♯5**
Yeah this kid's just a joke.

Verse 2　　　　As Verse 1

Pre-chorus 2　As Pre-chorus 1

Chorus 2　　　As Chorus 1

B5

Bridge　　　　　Baby can't shoot straight,

But you gotta shoot straight,

There's just so many friends to make.
F5
Gotta take blows, it's the way that you grow.
B5
　Yeah you gotta shoot straight,

Baby can't shoot straight,

There's just so many friends to make.
G5
Gotta take blows, it's the way that you grow.
　　F♯5
Don't need a machine,
　　　　　　A5　　　　　**B5**　　　**D5** **E5** **F♯5**
Just got to get yourself known.

Outro　　　　　*Play Riff 2 six times*

Out In The Country

WORDS BY PAUL WILLIAMS
MUSIC BY ROGER NICHOLS

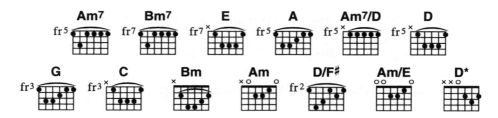

Intro ‖: Am7 | Bm7 E | Am7 | Bm7 E :‖

Verse 1

Am7   Bm7   E
  Whenever I need to leave it all behind,

Am7   Bm7   E
  I feel the need to get a - way.

Am7
  I find a quiet place,

A
  Far from the human race

Am7/D   D
  Out in the country.

Chorus 1

G   C   Bm   Am
  Before the breathing air is gone,

      G D/F♯   Am/E   D*
Before the sun   is just a bright spot in the night - time,

G   C   Bm   Am
  Out where the rivers like to run

          G   D/F♯
I'll stand a - lone,

          Am/E | D   G | A C D | D   ‖
And take back something worth re - membering.

Verse 2

```
Am7                  Bm7                 E
  Whenever I feel it    closing in on me
Am7                      Bm7   E
  And I need a bit of room to move.
Am7
  When life becomes too fast,
A
  I find relief at last
Am7/D           D
    Out in the country.
```

Chorus 2

```
G           C            Bm   Am
  Before the breathing air is gone,
        G  D/F#      Am/E          D*
Before the sun    is just a bright spot in the night - time,
G           C            Bm   Am
  Out where the rivers like to run
          G       D/F#
I'll stand a - lone,
          Am/E              | D          G |
And take back something worth re - membering.
```

| A   CD | A   CD | D ‖
```

*Solo*

‖: Am7  | Bm7 E | Am7  | Bm7 E :‖

| Am7  | A    | Am7/D | D      ‖
```

```
        G              C              Bm   Am
        Before the breathing air is gone,
                   G  D/F♯        Am/E              D*
        Before the sun     is just a bright spot in the night - time,
        G              C              Bm   Am
        Out where the rivers like to run
                   G      D/F♯
        I'll stand a - lone,
                   Am/E                 D*
        And take back something worth re - membering.
        G              C              Bm   Am
        Before the breathing air is gone,
                   G  D/F♯        Am/E              D*
        Before the sun     is just a bright spot in the night - time,
        G                  C          Bm   Am
        Out where the rivers like to run
                   G      D/F♯
        I'll stand a - lone,
                   Am/E                 D*
        And take back something worth re - membering.
        G              C              Bm   Am
        Before the breathing air is gone,
                   G  D/F♯        Am/E              D*
        Before the sun     is just a bright spot in the night - time,
        G                  C          Bm   Am
        Out where the rivers like to run
                   G      D/F♯
        I'll stand a - lone,
                   Am/E              | D          G | A  C D | D      ‖
        And take back something worth re - membering.
```

RED MORNING LIGHT

WORDS & MUSIC BY CALEB FOLLOWILL, NATHAN FOLLOWILL & ANGELO PETRAGLIA

B   A   G   F#   E

Intro | B | A G F# | E | E ||

Verse 1

N.C.   B
You know you could've been a wonder

         E
Taking your circus to the sky

       B
You couldn't take it on the tightrope

        E
No, you had to take it on the side

       B
You always like it under - cover,

        E
Dropped down between your dirty sheets

       B
Oh, no-one's even listenin' to you

A   G F# E
Down between the hollers and the screams.

Chorus 1

      B
I'm not sayin' nothin' I hey, hey

    A   G F# E
Another dirty bird is giving out a taste.

    B
And in the black of the night

    A   G F# E
'Til the red morning light.

Verse 2

                     B

You've got your cosy little corner

                                      E

All night you're jamming on your beer

                B

Hangin' out just like a street sign

               E

Imported twenty dollar jeans.

                      B

I hear you're blowin' like a feather

                       E

And then they rub it in your face

                      B

Oh, once they've had all the fun, hon',

A   **G**   **F♯**   **E**

You're at the bottom of the chase.

Chorus 2

                    B

I'm not sayin' nothin' no hey, hey

       A   **G**   **F♯** **E**

Another dirty bird is giving out a taste

    B

And in the black of the night

      A   **G** **F♯** **E**

'Til the red morning light.

                   B

I'm not sayin' nothin' no hey, hey

       A   **G** **F♯**   **E**

You're givin' all your silly money a - way - ay,

       B   **A**   **G** **F♯** **E**

That's not right. Aah!

Guitar solo   ‖: **B** | **A G F♯** | **E** | **E**   :‖

Chorus 3

N.C.
Hey, hey

Another dirty bird is giving out a taste

Ah hey,

Keep on givin' away and giving it away.

Well hey, hey

You're giving all your silly money away,

Ah hey hey

You're giving all your silly money away.

Break | **B** | **A**   ‖

B
Chorus 4 Ah hey, hey
              A   **G**   **F♯**   **E**
Another dirty bird is giving out a taste
                B
And in the black of the night
            A   **G**   **F♯** **E**
Til the red morning light.
                                    B
I'm not sayin' nothin' no hey, hey
              A   **G** **F♯**   **E**
You're givin' all your silly money a - way - ay,
                        | **B** | **A G F♯** | **E** | **E**   ‖
That's not right.

                                    B
Chorus 5 I'm not sayin' nothin' no hey, hey
              A   **G**   **F♯**   **E**
Another dirty bird is giving out a taste
                B   **A**   **G** **F♯** **E**
And in the black of the night 'Til the red morning light.
                          B
I'm not sayin' nothin' no hey, hey
              A   **G** **F♯**   **E**
You're givin' all your silly money a - way - ay.

Outro | **B** | **A G F♯** | **E** | **E**   ‖

RE-OFFENDER

WORDS & MUSIC BY FRAN HEALY

Bm   Asus2/B   G   G6   Esus4

Em   A   Em7   Em9   Gmaj7   Em6/G

Intro

| Drums || (Bm) | (Asus2/B) | (G) | (Asus2/B) |

| (Bm) | (Asus2/B) | (G) | (Asus2/B) ||

Verse 1

Bm   Asus2/B
Keepin' up appearances,——

G6   Esus4
Keepin' up with the Jones',——

Bm   Asus2/B
Foolin' my selfish heart,——

G6   Esus4
Goin' through the motions.——

    Em   A
But I'm foolin' my - self,

  Em   A
I'm foolin' my - self.——

Chorus 2

    Bm   G
'Cause you say you love me,

      Em7
And then you do it again,

   G
You do it again.

   Bm   G
And you say you're sor - ry,

      Em7
And then you do it again,

  G
You do it again.

Verse 2

Bm   **Asus2**
Everybody thinks you're well,——

G6   **Asus2/E**
Everybody thinks I'm ill.——

Bm   **Asus2**
Watching me fall apart,——

G6   **Asus2/E**
Fallen under your spell.——

            Em9   **A**
But you're foolin' your - self,

         Em9   **A**
You're foolin' your - self.——

Chorus 2

            Bm   **G**
'Cause you say you love me,

                Em7
And then you do it again,

           G
You do it again.

            Bm   **G**
And you say you're sor - ry,

                Em7
And then you do it again,

           G
You do it again,

                                  Bm
And again, and again, and again, and a - gain.——

Middle

Asus2   **G6**
  Ooh.——

Asus2/E   **Bm** **Asus2**
    Oh.————

   G6   **Asus2/E**
Mmm.————

Pre-chorus 1   **Em9**   **A**
But you're foolin' your - self,

         Em9   **A**
You're foolin' your - self.——

Chorus 3

        Bm   **G**
'Cause you say you love me,

              Em7
And then you do it again,

      G
You do it again.

      Bm   **G**
And you say you're sor - ry,

             Em7
And then you do it again,

      G
You do it again.

Chorus 4

      Bm   **G**
And you say you love me,

             Em7
And then you do it again,

      G
You do it again.

      Bm   **G**
And you say you're sor - ry,

             Em7
And then you do it again,

      G
You do it again,

                     Bm   **Gmaj7**
And again, and again, and again, and a - gain._____

Outro

Em9 │ **Em6/G** │ **Bm**   │
  Mmm._____

    Gmaj7 │ **Em9** │
Ooh._____

│ **Em6/G** │ **Bm**   │ **Bm**   ‖

SANTA CRUZ (YOU'RE NOT THAT FAR)

WORDS BY CONOR DEASY
MUSIC BY CONOR DEASY, KEVIN HORAN, PÁDRAIC McMAHON, DANIEL RYAN & BEN CARRIGAN

Verse 1

Cadd9
Well tell me where it all went wrong,

Cadd9/A
And tell me where you lost those darn songs.

C7   Cadd9
I can't say I was sur - prised.

C7   Cadd9   Fmaj7
    Oh   I heard a drink was involved.

Pre-chorus 1

Am/E   Dm
Oh you've got - ta be,

Oh you've gotta be

G7
Still liv - ing by the sea.

Dm
Oh you've got - ta be,

D
Oh you've got - ta be,

Dm7   G7sus4
   'Cause Santa Cruz you're not that far,

G7
No you're not that far.———

Chorus 1

Dm⁷
Well oh, Santa Cruz,

D   **G⁷sus⁴**
  No you're not that far,

  G⁷
Oh, oh, oh, oh,

Dm⁷
Santa Cruz,

    Em
Santa, Santa Cruz,

    Dm⁷
Well oh, Santa Cruz,

D⁷   **F** | **G⁷** |
  No you're not that far.

Verse 2

  Cadd⁹
But now and then, hey once in a while,

   Cadd⁹/A
Those August cowboys stole your style.

    C⁷   **Cadd⁹**
Don't you know youth is blind,

C⁷ **Cadd⁹**   **Fmaj⁷**
  Well,   your train's just rolled in on time.—

Pre-chorus 2   As Pre-chorus 1

Chorus 2   As Chorus 1

Instrumental | C Cadd⁹ | C Cadd⁹ | Am Am(add¹¹) | Am Am(add¹¹) |

| Dm Dsus² | Dm Dsus² | C | Em | Fadd⁹ F |

| N.C. | C Cadd⁹ | C Cadd⁹ | Am Am(add¹¹) | Am Am(add¹¹) ‖

Pre-chorus 3

        Dm
Oh you've got - ta be,

        D
Oh you've got - ta be

Dm⁷   **G⁷sus⁴**
  'Cause Santa Cruz you're not that far,

           G⁷
No you're not that far.——

Chorus 3

        Dm⁷
Well oh, Santa Cruz,

D   **F**
  No you're not that far,——

  G⁷
Oh, oh, oh, oh,

Dm⁷
Santa Cruz,

      Em
Santa, Santa Cruz,

Outro

        Dm⁷
Oh Santa Cruz,

  G⁷
Santa Cruz,

  Dm⁷
Santa Cruz,

  G⁷
Santa Cruz.

  Dm⁷
Santa Cruz,

  G⁷
Santa Cruz,

  Dm
Santa Cruz,

  G⁷ | **G⁷** |
Santa Cruz.

| **Dm⁷** | **Dm⁷** | **G⁷** | **G⁷ Dm** |

| **Dm** | **Dm** | **Dm** | **Dm** ‖

                       End it!

THE SEED (2.0)

WORDS & MUSIC BY CODY CHESNUTT & TARIQ TROTTER

Intro

‖: Am⁷ Dm⁷ | C Dm⁷ | Am⁷ Dm⁷ | C Dm⁷ :‖

Verse 1

           Am⁷   **Dm⁷**
Knocked up nine months a - go

               C   **Dm⁷**
And what she's fittin' to have she don't know,

           Am⁷   **Dm⁷**
She wants neo soul 'cause hip hop is old

               C   **Dm⁷**
She don't want no rock 'n' roll

           Am⁷   **Dm⁷**
She want platinum, ice and gold

              C   **Dm⁷**
She want a whole lot of somethin' to fold

           Am⁷   **Dm⁷**
If you're an obstacle she'll just drop you cold

              C   **Dm⁷**
'Cause one monkey don't stop the show

              Am⁷
Little Mary's bad.

            Dm⁷
In these streets she done ran

          C   **Dm⁷**
Ever since when the heat began

            Am⁷
I told the girl look here

              Dm⁷
Calm down I'm gonna hold your hand

cont.

         C   **Dm⁷**
To en - able you to keep the plan

                  Am⁷
Because you're quick to learn

          Dm⁷
And we can make money to burn

         C   **Dm⁷**
If you all - ow me the latest game

        Am⁷   **Dm⁷**
I don't ask for much but enough to room to spread my wings

       C   **Dm⁷**
And a world fittin' to know my name.

Pre-chorus 1

      Am⁷ Dm⁷ C   **Dm⁷**   **Am⁷** **Dm⁷ C**
I don't ask,   for much these days.

     Dm⁷ **B♭⁶**   **D⁷**   **Am⁷**
And I don't bitch and whine if I don't get my way.

             C   **G**   **Dm**   **G**
I only wanna ferti - lize another behind my lover's back,

         C   **G**   **Dm⁷**
I sit and watch it grow roots standin' where I'm at.

       C   **G**   **Dm⁷**
Ferti - lize another behind my lover's back

      D⁷   **Dm⁷** **G**
And I'm keeping my secrets mine.

Chorus 1

      Am⁷   **G**   **Dm⁷**
I push my seed in her bush for life,

      Am⁷   **G**   **Dm⁷ Gm⁷**
It's gonna work because I'm pushin' it right

    Fmaj⁷   **Em⁷**
If Mary dropped my baby girl to - night

       B♭   **Am⁷**
I would name her Rock 'N' Roll.

| Am⁷ Dm⁷ | C Dm⁷ | Am⁷ Dm⁷ | C Dm⁷ ‖

Verse 2

    Am⁷   **Dm⁷**
Cadi - llac needs space to roam

         C   **Dm⁷**
Where we headin' for she don't know

     Am⁷   **Dm⁷**
We in the city where the pros shake rattle 'n' roll

       C   **Dm⁷**
And I'm a goddang rollin' stone.

     Am⁷   **Dm⁷**
I don't beg I can hold my own,

cont.

    C   **Dm⁷**
I don't break I can hold a chrome

    Am⁷   **Dm⁷**
And it's weighin' a ton and I'm a son of a gun

    C   **Dm⁷**
My code name is The Only One

      Am⁷
And Black Thought is bad

    Dm⁷   **C**   **Dm⁷**
These streets he done ran ever since when the game be - gan

     Am⁷
I never played the fool

       Dm⁷
Matter of fact I've been keepin' it cool

    C   **Dm⁷**
Since money been changin' hands

    Am⁷   **Dm⁷**
And I'm left to shine, the legacy I leave behind

    C   **Dm⁷**
Be the seed that'll keep the flame

    Am⁷   **Dm⁷**
I don't ask for much but enough room to spread these wings

    C   **Dm⁷**
And a world fittin' to know my name, now listen to me.

    Am⁷ Dm⁷ C   **Dm⁷**   **Am⁷ Dm⁷ C**
Pre-chorus 2   I don't beg   from no rich man,

    Dm⁷   **B♭6**   **D⁷**   **Am⁷**   **Dm⁷**
And I don't scream and kick when his shit don't fall in my hands man

    Am⁷   **Dm⁷**
'Cause I know how to still

    C   **G**   **Dm⁷**
Ferti - lize another against my lover's will,

    C   **G**   **Dm**   **G**
I lick the opposition 'cause she don't take no pill

C **G** **Dm**   **D⁷**   **Dm⁷**
Oo - ooh you know the deal, you'll be keeping my legend a - live.

Chorus 2

          Am7   **G**   **Dm7**
I push my seed in her bush for life

           Am7   **G**   **Dm7 Gm7**
It's gonna work because I'm pushin' it right

         Fmaj7   **Em7**
If Mary dropped my baby girl to - night

              B♭   **E**
I would name   her Rock 'N' Roll.

E7   **Am7**   **Dm7**   **E E7**
Oh break it down, break it down, down for me.

| **Am G** | **Dm G** | **E** | **E7** ‖

Chorus 3

          Am7   **G**   **Dm** **G**
I push my seed somewhere deep in her chest

           Am7   **G**   **Dm7 Gm7**
I push it naked 'cause I've taken my test

         Fmaj7   **Em7**
Deliverin' Mary it don't matter the sex

            B♭   **Am7 Dm7 C Dm7**
I'm gonna name it Rock 'N' Roll.

Chorus 4

          Am7   **G**   **Dm**
I push my seed in her bush for life

           Am7   **G**   **Dm7 Gm7**
It's gonna work because I'm pushin' it right

         Fmaj7   **Em7**
If Mary dropped my baby girl to - night

              B♭   **Am7 Dm7**
I would name   her Rock 'N' Roll.

C   **Dm7**   **Am7 Dm7**
  I would name her Rock 'N' Roll.

C   **Dm7**   **Am7 Dm7**
  I would name her Rock 'N' Roll,   yeah.

C   **Dm7**   **Am7 Dm7 C Dm7 Am7**
  I would name it Rock 'N' Roll.

SING FOR THE MOMENT

WORDS & MUSIC BY MARSHALL MATHERS, JEFF BASS & STEVEN TYLER

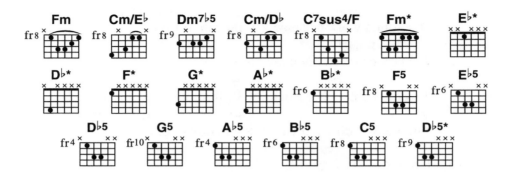

Intro

| Fm Cm/E♭ | Dm7♭5 Cm/D♭ | Fm C7sus4/F | Fm C7sus4/F Fm |

| Fm C7sus4/F | Fm C7sus4/F | Fm C7sus4/F | Fm ‖

Verse 1

      Fm*   **(E♭*)**   **(D♭*)**
These ideas are nightmares for white parents, whose worst fear
       (E♭*)
Is a child with dyed hair and who likes earrings,
 (F*)   **(G*)**   **(A♭*)**
  Like whatever they say has no bearing, it's so scary
      (B♭*)
In a house that allows no swearing
   Fm*   **(E♭*)**
To see him walking around with his headphones blaring,
 (D♭*)   **(E♭*)**
Alone in his own zone, cold and he don't care
   (F*)   **(G*)**
He's a problem child, and what bothers him all comes out,
    (A♭*)   **(B♭*)**
When he talks about, his fuckin' dad walkin' out
    Fm*   **(E♭*)**
'Cause he hates him so bad that he blocks him out,

                          (D♭*)   (E♭*)
cont.   If he ever saw him again he'd probably knock him out
                            (F*)   (G*)   (A♭*)
                 His thoughts are wacked, he's mad so he's talkin' back, talkin' black,
                                (B♭*)
                 Brainwashed from rock and rap.

                             Fm*
                 He sags his pants, do-rags and a stocking cap, his step-father hit him,
                        (E♭*)   (F*)
                 So he   socked him back and broke his nose,
                             (G*)   (A♭*)
                 His house is a broken home there's no control,
                                (B♭*)
                 He just let's his emotions go...

                             F5
Chorus 1   (Come on!) Sing with me (sing!)
                 E♭5
                 Sing for the year (sing it)
                 D♭5
                 Sing for the laughter
                 E♭5
                 Sing for the tear
                             F5   G5
                 (Come on!) Sing it with me just for today
                 A♭5
                 Maybe tomorrow
                        B♭5
                 The good Lord will take you
                 | C5 D♭5* C5 D♭5* C5 D♭5* C5 D♭5* | C5 D♭5* C5 D♭5* C5 D♭5* C5 D♭5*‖
                 A - way...

Verse 2

Fm*   (E♭*)
Enter - tainment is changin', intertwinin' with gangstas,
       (D♭*)   (E♭*)
In the land of the killers, a sinner's mind is a sanctum
(F*)   (G*)   (A♭*)
Holy or unholy, only have one homie, only this gun,
             (B♭*)
Lonely 'cause don't anyone know me
    Fm*   (E♭*)
Yet everybody just feels like they can relate,
       (D♭*)   (E♭*)
I guess words are a mothafucka, they can be great
          (F*)   (G*)
Or they can degrade, or even worse they can teach hate
          (A♭*)   (B♭*)
It's like these kids hang on every single statement we make,
          Fm*
Like they worship us
          (E♭*)
Plus all the stores ship us platinum,
(D♭*)   (E♭*)
Now how the fuck did this metamorphosis happen?
        (F*)   (G*)
From standin' on corners and porches just rappin';
        (A♭*)   (B♭*)
To havin' a fortune, no more kissin' ass,
               Fm*   (E♭*)
But then these critics crucify you, journalists try to burn you,
(D♭*)   (E♭*)
Fans turn on you, attorneys all want a turn at you
        (F*)   (G*)
To get they hands on every dime you have,
          (A♭*)   (B♭*)
They want you to lose your mind every time you mad
          Fm*   (E♭*)
So they can try to make you out to look like a loose cannon,
        (D♭*)   (E♭*)
Any dispute won't hesitate to produce handguns
(F*)   (G*)
    That's why these prosecutors wanna convict me,
(A♭*)   (B♭*)
Strictly just to get me off of these streets quickly.
       Fm*   (E♭*)
But all they kids be listenin' to me religiously,

cont.

    (D♭*)   **(E♭*)**
So I'm signin' CDs while police fingerprint me
           (F*)   **(G*)**
They're for the judge's daughter but his grudge is against me,
        (A♭*)   **(B♭*)**
If I'm such a fuckin' menace, this shit doesn't make sense B.
Fm*   **(E♭*)**   **(D♭*)**
  It's all political, if my music is literal, and I'm a criminal
      (E♭*)
How the fuck can I raise a little girl?
  (F*)   **(G*)**   **(A♭*)**
I couldn't. I wouldn't be fit to. You're full of shit too,
           (B♭*)
Guerrera, that was a fist that hit you!

Chorus 2   As Chorus 1

               Fm*   **(E♭*)**
Verse 3   They say music can alter moods and talk to you,
           (D♭*)   **(E♭*)**
Well can it load a gun up for you, and cock it too?
        (F*)   **(G*)**
Well if it can, then the next time you assault a dude,
       (A♭*)   **(B♭*)**
Just tell the judge it was my fault and I'll get sued
           Fm*   **(E♭*)**
See what these kids do is hear about us totin' pistols
        (D♭*)   **(E♭*)**
And they want to get one 'cause they think the shit's cool
   (F*)   **(G*)**
Not knowin' we really just protectin' ourselves,
      (A♭*)   **(B♭*)**   **Fm***
We entertainers, of course the shit's affectin' our sales, you ignor - amus.
           (E♭*)   **(D♭*)**
But music is reflection of self, we just explain it,
             (E♭*)   **(F*)**
And then we get our cheques in the mail. It's fucked up ain't it?
                (G*)
How we can come from practically nothing
       (A♭*)   **(B♭*)**
To being able to have any fuckin' thing that we wanted?
           Fm*   **(E♭*)**
That's why we   sing for these kids, who don't have a thing

            (D♭*)   (E♭*)
Except for a dream, and a fuckin' rap magazine
           (F*)   (G*)
Who post pin-up pictures on they walls all day long,
        (A♭*)   (B♭*)
Idolize they favourite rappers and know all they songs
             Fm*   (E♭*)
Or for anyone who's ever been through shit in they lives,
           (D♭*)   (E♭*)
Till they sit and they cry at night wishin' they'd die
           (F*)   (G*)
Till they throw on a rap record and they sit, and they vibe.
          (A♭*)   (B♭*)
We're nothin' to you, but we're the fuckin' shit in they eyes
               Fm*   (E♭*)
That's why we   seize the moment try to freeze it and own it,
          (D♭*)   (E♭*)
Squeeze it and hold it, 'cause we consider these minutes golden
     (F*)   (G*)
And maybe they'll admit it when we're gone.
               (A♭*)
Just let our spirits live on,
                     (B♭*)
Through our lyrics that you hear in our songs and we can...

Chorus 3   As Chorus 1

Chorus 4   As Chorus 1

Outro
(Guitar Solo)

‖: F5 E♭5 | D♭5 E♭5 | F5 G5 | A♭5 B♭5 |

| F5 E♭5 | D♭5 E♭5 | F5 G5 | A♭5 B♭5 |

| C5 D♭5* C5 D♭5* C5 D♭5* C5 D♭5* |

| C5 D♭5* C5 D♭5* C5 D♭5* C5 D♭5* :‖ *Repeat to fade*

SOMEWHERE I BELONG

WORDS & MUSIC BY CHESTER BENNINGTON, ROB BOURDON, BRAD DELSON,
JOSEPH HAHN, MIKE SHINODA & DAVID FARRELL

⑥ = E♭ ③ = G♭
⑤ = A♭ ② = B♭
④ = D♭ ① = E♭

Bm   G   A   Em

B5/F#   D5/A   G5   E5   A5

Intro ‖: Bm | G | A | Em :‖ *Play 4 times*

‖: B5/F# | D5/A | G5 | E5 | B5/F# | D5/A | A5 | E5 :‖

| Bm | G | A | Em ‖

Verse 1

Bm
(When this be - gan)

G
I had nothin' to say

A   Em
And I get lost in the nothingness in - side of me.

Bm
(I was con - fused)

G
And I let it all out to find that I'm

A   Em
Not the only person with these things in mind.

Bm
(Inside of me)

G
But all that they can see the words revealed

A   Em
Is the only real thing that I've got left to feel.

Bm
(Nothing to lose)

G
Just stuck hollow and alone

A   Em
And the fault is my own, and the fault is my own.

Chorus 1

      B5/F♯   **D5/A**   **G5**   **E5**
I wanna heal, I wanna feel what I thought was never real,

      B5/F♯   **D5/A**   **G5**
I wanna let go of the pain I've felt so long.

          E5
(Erase all the pain 'til it's gone)

      B5/F♯   **D5/A**   **G5**   **E5**
I wanna heal, I wanna feel like I'm close to something real

      B5/F♯   **D5/A**   **A5**
I wanna find something I've wanted all a - long;

E5   **Bm**
Somewhere I be - long.

Verse 2

          G
And I got nothing to say.

     A   **Em**
I can't be - lieve I didn't fall right down on my face.

     Bm
(I was con - fused)

           G
Look at everywhere only to find

   A   **Em**
It is not the way I had imagined it all in my mind.

      Bm
(So what am I?)

         G
What do I have but negativity?

     A   **Em**
'Cause I can't justify the way everyone is looking at me.

      Bm
(Nothing to lose,)

         G
Nothing to gain, I'm hollow and alone

   A   **Em**
And the fault is my own, and the fault is my own.

Chorus 2

   B5/F♯   **D5/A**   **G5**   **E5**
I wanna heal, I wanna feel what I thought was never real,

   B5/F♯   **D5/A**   **G5**
I wanna let go of the pain I've felt so long.

      E5
(Erase all the pain 'til it's gone)

   B5/F♯   **D5/A**   **G5**   **E5**
I wanna heal, I wanna feel like I'm close to something real.

   B5/F♯   **D5/A**   **A5**
I wanna find something I've wanted all a - long;

E5   **Bm**
Somewhere I be - long.

Bridge

   G5   **A5**   **E5**   **B5**
I will never know my - self until I do this on my own

    G5   **A5**   **E5**   **B5**
And I will never feel anything else un - til my wounds are healed

   G5   **A5**   **E5**   **B5**
I will never be anything 'til I break away from me

   G5   **A5** **E5** **Bm**│ **G** │ **A** │ **Em** ‖
I will break away. I'll find my - self to - day._____

Chorus 3

   B5/F♯   **D5/A**   **G5**   **E5**
I wanna heal, I wanna feel what I thought was never real.

   B5/F♯   **D5/A**   **G5**
I wanna let go of the pain I've felt so long.

     E5
(Erase all the pain 'til it's gone)

   B5/F♯   **D5/A**   **G5**   **E5**
I wanna heal, I wanna feel like I'm close to something real.

   B5/F♯   **D5/A**   **G5**
I wanna find something I've wanted all a - long;

E5   **Bm**
Somewhere I be - long.

   D5   **G5**   **E5**   **Bm**
I wanna heal, I wanna feel like I'm somewhere I be - long.

   D5   **A5**   **E5**   **Bm**
I wanna heal, I wanna feel like I'm somewhere I be - long.

Somewhere I belong.

ST. ANGER

WORDS & MUSIC BY JAMES HETFIELD, LARS ULRICH, KIRK HAMMETT & BOB ROCK

D* D#* E* C* F5

D7 Cadd9 Cadd9/B♭ A7sus4 D5

⑥ = C   ③ = F
⑤ = G   ② = A
④ = C   ①= D

C5 B♭5 A5 D#5 E5
fr3

┌─ riff ───┐

Intro 4/4 D* | D#* E* E* D* E* D#* D* E* | D#* D* D#* D#* C* C* C* D* |

‖: D#* E* E* D* E* D#* D* E* | D#* D* D#* D#* C* C* C* D* :‖

| D#* E* E* D* E* D#* D* E* |

7/4 | D#* N.C. D* ‖

Play 3 times

4/4 ‖: D#* E* E* D* E* D#* D* E* | D#* D* D#* D#* F5 F5 F5 D* :‖

2/4 | D#* E* E* D* |

6/8 | E* D#* D* E* D#* D* | E* D#* D* E* D#* D* |

3/4 | D#* D#* C* C* C* D* ‖

Play 3 times

4/4 ‖: D#* E* E* D* E* D#* D* E* | D#* D* D#* D#* C* C* C* D* :‖

2/4 | D#* E* E* D* |

6/8 | E* D#* D* E* D#* D* | E* D#* D* E* D#* D* |

| D#* D#* C* C* C* D* ‖

Play 8 times

4/4 ‖: D#* E* E* D* E* D#* D* E* | D#* D* D#* D#* C* C* C* D* :‖

6/8 | E* D#* D* E* D#* D* | E* D#* D* E* D#* D* |

Verse 1

D7   Cadd9 Cadd9/B♭ A7sus4 D7
Saint Anger round   my   neck

    Cadd9 Cadd9/B♭ A7sus4 D7
Saint Anger round   my   neck

   Cadd9 Cadd9/B♭ A7sus4 D7
He never gets   re - spect,

   Cadd9 Cadd9/B♭ A7sus4 D7
Saint Anger round   my   neck.

Pre-chorus 1

D5
(You push it out, you push it out)

   C5   B♭5   A5 D5
Saint Anger round my neck,

(You push it out, you push it out)

   C5   B♭5 A5 D5
He never gets re - spect,

(You push it out, you push it out)

   C5   B♭5 A5 D5
Saint Anger round my neck,

(You push it out, you push it out)

   C5   B♭5 A5 D5
He never gets re - spect.

Link 1   ‖: D5 | D5 | C5 | B♭5 A5 :‖

Chorus 1

D5
Fuck it all and no regrets,

   C5   **B♭5**   **A5**
I hit the lights on these dark sets,

   D5
I need a voice to let myself,

   C5   **B♭5** **A5**
To let myself go free.

D5
Fuck it all, and fuckin' no regrets

   C5   **B♭5**   **A5**
I hit the lights on these dark sets,

   D5
I tie a noose, I hang myself,

     C5   **B♭5** **A5**
Saint Anger round my neck.

   D5
I feel my world shake

C5   **B♭5**   **A5**
Like an earthquake

   D5
It's hard to see clear,

   C5   **B♭5** **A5**
Is it me, is it fear?

   D5
I'm madly in anger with you,

   C5   **B♭5** **A5**
I'm madly in anger with you,

   D5
I'm madly in anger with you,

   C5   **B♭5** **A5** **D5**
I'm madly in anger with you.

Play 9 times

Instr. 1 $\frac{4}{4}$ ‖: D#5 E5 E5 D5 E5 D#5 D5 E5 | D#5 D5 D#5 D#5 C5 C5 C5 D5 :‖

$\frac{2}{4}$ | D#5 E5 E5 D5 |

$\frac{6}{8}$ | E5 D#5 D5 E5 D#5 D5 | E5 D#5 D5 E5 D#5 D5 ‖

Verse 2   As Verse 1

Pre-chorus 2   As Pre-chorus 1

Play 7 times

Instr. 2 $\frac{4}{4}$ ‖: D♯5 E5 E5 D5 E5 D♯5 D5 E5 | D♯5 D5 D♯5 D♯5 C5 C5 C5 D5 :‖

$\frac{2}{4}$ | D♯5 E5 E5 D5 |

$\frac{6}{8}$ | E5 D♯5 D5 E5 D♯5 D5 | E5 D♯5 D5 E5 D♯5 D5 |

| D♯5 D♯5 C5 C5 C5 D5 ‖

Play 3 times

$\frac{4}{4}$ ‖: D♯5 E5 E5 D5 E5 D♯5 D5 E5 | D♯5 D5 D♯5 D♯5 C5 C5 C5 D5 :‖

$\frac{2}{4}$ | D♯5 E5 E5 D5 |

$\frac{6}{8}$ | E5 D♯5 D5 E5 D♯5 D5 | E5 D♯5 D5 E5 D♯5 D5 |

| D♯5 D♯5 C5 C5 C5 D5 ‖

Play 4 times

$\frac{4}{4}$ ‖: D♯5 E5 E5 D5 E5 D♯5 D5 E5 | D♯5 D5 D♯5 D♯5 C5 C5 C5 D5 :‖

Bridge

riff   **riff**
And I want, my anger to be healthy,
riff   **riff**
And I want, my anger just for me,
riff   **riff**
And I need, my anger not to control
        riff   **riff riff riff**
Yeah, and I want, my anger to be me.
riff   **riff**
And I need, to set my anger free,
riff   **riff**
And I need, to set my anger free,
riff   **riff**
And I need, to set my anger free,
    riff
Set it free.

Play 3 times

Instr. 3 $\frac{4}{4}$ ‖: D♯5 E5 E5 D5 E5 D♯5 D5 E5 | D♯5 D5 D♯5 D♯5 C5 C5 C5 D5 :‖

$\frac{6}{8}$ | E5 D♯5 D5 E5 D♯5 D5 | E5 D♯5 D5 E5 D♯5 D5 ‖

Chorus 3

D5
Fuck it all and no regrets

  C5   **B♭5**   **A5**
I hit the lights on these dark sets

  D5
I need a voice to let myself

    C5   **B♭5** **A5**
To let myself go free

D5
Fuck it all, and fuckin' no regrets

  C5   **B♭5**   **A5**
I hit the lights on these dark sets

  D5
I tie a noose, I hang myself

     C5   **B♭5** **A5**
Saint Anger round my neck

  D5
I feel my world shake

C5   **B♭5**   **A5**
Like an earthquake

  D5
It's hard to see clear

    C5   **B♭5** **A5**
Is it me, is it fear?

    D5
I'm madly in anger with you,

    C5   **B♭5**   **A5**
I'm madly in anger with you,

    D5
I'm madly in anger with you,

    C5   **B♭5**   **A5** **D5**
I'm madly in anger with you.

    D5
I'm madly in anger with you,

    C5   **B♭5**   **A5**
I'm madly in anger with you,

    D5
I'm madly in anger with you,

    C5   **B♭5**   **A5** **D5**
I'm madly in anger with you.

Outro | **D#* E* E* D* E* D#* D* E*** | **D#* D* D#* D#* C* C* C* D*** |

        | **D***

STILL WAITING

WORDS & MUSIC BY GREIG NORI & DERYCK WHIBLEY

E5 fr7 **C5** fr3 **G5** fr3 **B5** **D5** fr5 **B♭5** fr6 **A5** fr5

Chorus 1

> E5   C5
> So am I   still waiting
>
> G5   B5
> For this world to stop hating,
>
> E5   C5
> Can't find a   good reason,
>
> G5   D5
> Can't find hope to believe in.

Link 1

‖: E5 | C5 | E5 | C5 B5 :‖

Verse 1

> E5   B♭5 A5 B♭5 A5 G5 A5
> Drop dead a bul - let to my   head,
>
> E5   G5
> Your words are like a gun in hand.
>
> E5   B♭5 A5 B♭5 A5 G5 A5
> You can't change the state of the na - tion,
>
> G5   B5
> We just need some motivation,
>
> E5   B♭5 A5   B♭5 A5 G5 A5
> These eyes have seen no con - vic - tion,
>
> E5   G5
> Just lies and more contradiction.
>
> E5   B♭5 A5   B♭5 A5 G5 A5
> So tell me what would you   say?
>
> G5   B5   E5
> I'd say it's time,____ too late.

Chorus 2

        C5
So am I   still waiting

G5   **B5**
For this world to stop hating,

E5   **C5**
  Can't find a   good reason,

G5   **B5**
  Can't find hope to believe in.

Link

| **E5** | **C5** | **E5** | **C5 B5** ‖

Verse 2

E5   **B♭5 A5** **B♭5**   **A5 G5 A5**
  Ignorance and un - der - stand - ing,

E5   **G5**
  We're the first ones to jump in line.

E5   **B♭5 A5**   **B♭5 A5**   **G5 A5**
  Out of step for what we bel - ieve   in,

G5   **B5**
  But who's left to stop the bleeding?

E5   **B♭5**   **A5** **B♭5 A5 G5** **A5**
  How far will we   take   this?

E5   **G5**
  It's not hard to see through the sickness,

E5   **B♭5 A5**   **B♭5 A5** **G5 A5**
  So tell me what would you   say?

G5   **B5**   **E5**
  I'd say it's time,____ too late.

Chorus 3

        C5
So am I   still waiting

G5   **B5**
For this world to stop hating,

E5   **C5**
  Can't find a   good reason,

G5   **B5**
  Can't find hope to believe.

Bridge

E5 C5 G5   B5
This can't last for - ever,

E5 C5 G5   B5
Time won't make things better.

E5 C5 D5 E5   C5   D5
I feel so a - lone   can't help my - self,

E5   C5 D5   E5   C5   D5
    And no one knows   if this is worthless,

        E5 C5 G5 B5
Tell me   so!

| E5 | C5 | G5 | B5 D5 |

| E5 | C5 | G5 | B5 ||

E5   C5
    What have   we done

G5   B5
    With a war that can't be won,

E5   C5
    This can't   be real,

G5   B5
    'Cause I don't know what to feel.

Chorus 4

E5   C5
    So am I   still waiting

G5   B5
For this world to stop hating,

E5   C5
    Can't find a   good reason,

G5   B5
    Can't find hope to believe in

E5   C5
    So am I   still waiting

G5   B5
For this world to stop hating,

E5   C5
    Can't find a   good reason

G5   B5 E5
    For this world to be - lieve.

TIMES LIKE THESE

WORDS & MUSIC BY DAVE GROHL, NATE MENDEL, TAYLOR HAWKINS & CHRIS SHIFLETT

D7add6   D5   C5   B5   D   Am7   C   Em7

Intro
‖: D7add6 | D7add6 | D7add6 | D7add6 :‖

$\frac{7}{4}$ | D5 | C5 | B5 | D |

| C5 | B5 | D | C5 |

$\frac{4}{4}$ | D5 | D5 | D7add6 | D7add6 | D7add6 | D7add6 ‖

Verse 1

       D   Am7
I, I'm a one way motorway,
               C   Em7   D7add6
I'm the one that drives away, follows you back home
       D   Am7
I, I'm a street light shining,
               C   Em7   D7add6
I'm a white light blinding bright, burning off and on.

Uh - huh - uh.

Chorus 1

       C   Em7   D
It's times like these you learn to live a - gain,
       C   Em7   D
It's times like these you give, and give a - gain,
       C   Em7   D
It's times like these you learn to love a - gain,
       C   Em7   D7add6 | D7add6 |
It's times like these, time and time a - gain.

Link | D7add6 | D7add6 ‖

Verse 2

     D   **Am7**
I, I'm a new day rising,

               C   **Em7**   **D7add6**
I'm a brand new sky to hang the stars upon to - night.

     D   **Am7**
I, I'm a little div - ided,

            C   **Em7**   **D7add6**
Do I stay or run away and leave it all be - hind?

Uh - huh - uh

Chorus 2

        C   **Em7**   **D**
It's times like these you learn to live a - gain,

        C   **Em7**   **D**
It's times like these you give, and give a - gain,

        C   **Em7**   **D**
It's times like these you learn to love a - gain,

        C   **Em7**   **D5**
It's times like these, time and time a - gain.

Link 2

$\frac{7}{4}$ | **D5** | **C5** | **B5** | **D** | **C5** | **B5** | |

| **D** | **C5** | **B5** | **D** | **C5** | |

$\frac{4}{4}$ | **B5** | **B5** | ‖: **D7add6** | **D7add6** | **D7add6** | **D7add6** :‖

Chorus 3

        C   **Em7**   **D**
‖: It's times like these you learn to live a - gain,

        C   **Em7**   **D**
It's times like these you give, and give a - gain,

        C   **Em7**   **D**
It's times like these you learn to love a - gain,

        C   **Em7**   **D**
It's times like these, time and time a - gain. :‖

        C   **Em7**   **Dsus2**
It's times like these you learn to live a - gain,

        C   **Em7**   **Dsus2**
It's times like these you give, and give a - gain,

        C   **Em7**   **Dsus2**
It's times like these you learn to love a - gain,

        C   **Em7**   **Dsus2** **C**
It's times like these, time and time a - gain.

WE USED TO BE FRIENDS

WORDS & MUSIC BY COURTNEY TAYLOR-TAYLOR & GRANT NICHOLAS

B   F#   A   E

Intro

| B F# | A E | B F# | A E ‖

Verse 1

B   F#   A   E
A long time a - go we used to be friends
B   F#   A   E
But I   haven't thought of you lately at all.
B   F#   A   E
If ever a - gain a greeting I send to you
B   F#   A   E
   Short and sweet to the soul I intend.
B   F#   A   E
Ah a - a - a - ah,   ah a - a - a - ah.
B   F#   A   E
Ah a - a - a - ah,   ah a - a - a - ah.

Chorus 1

A   E
Come on now honey
B   F#
Bring it on, bring it on, yeah
A   E
Just remem - ber me when
B   F#
You're good to go?
A   E
Come on now sugar,
B   F#
Bring it on, bring it on, yeah,
A   E   B F# | A E ‖
Just remem - ber me when.

Verse 2

    B   **F♯**   **A**   **E**
If something I said,   or someone I know

     B   **F♯**   **A**   **E**
Or you called me up baby I wasn't home

       B   **F♯**   **A**   **E**
Now everybody needs some - time and everybody knows

      B   **F♯**   **A**   **E**
The rest of it's fun   and everybody knows yeah.

Chorus 2

 A   **E**
Come on now sugar.

B   **F♯**
Bring it on, bring it on, yeah.

 A   **E**
Just remem - ber me when

B   **F♯**
You're good to go

 A   **E**
Come on now honey,

B   **F♯**
Bring it on, bring it on, yeah,

 A   **E**   **B** **F♯**
Just remem - ber me when.

Bridge

       A   **E** **B**   **F♯**
We used to be friends   a long time ago.

       A   **E** **B**   **F♯**
We used to be friends   a long time ago.

       A   **E** **B**   **F♯**
We used to be friends   a long time ago.

       A   **E**
We used to be friends.

| **B** **F♯** | **A** **E** | **B** **F♯** | **A** **E** ‖

     B   **F♯**   **A**   **E**
Ah a - a - a - ah,   ah a - a - a - ah.

     B   **F♯**   **A**   **E**
Ah a - a - a - ah,   ah a - a - a - ah.

| **B** **F♯** | **A** **E** | **B** **F♯** | **A** **E** ‖

Verse 3

          B   F♯   A   E
          A long time a - go we used to be friends
             B   F♯   A   E
          But I   haven't thought of you lately at all.
             B   F♯   A   E
          If ever a - gain a greeting I send to you
          B   F♯   A   E | B F♯ | A E | B F♯ |
          Short and sweet to the soul I intend.

Outro

             A   E   B   F♯
          We used to be friends   a long time ago,
             A   E   B   F♯
          We used to be friends   a long time ago,
             A   E   B   F♯
          We used to be friends   a long time ago,
             A   E
          We used to be friends.
             B   F♯   A   E
          Ah a - a - a - ah,   ah a - a - a - ah.
             B   F♯   A   E B
          Ah a - a - a - ah,   ah a - a - a - ah.

WESTSIDE

WORDS & MUSIC BY JOEL POTT, CAREY WILLETTS, STEVE ROBERTS & TIM WANSTALL

Bm6   G/B   Em9   Em7   Cadd9   Em7*

Bm7   Cmaj7   Fmaj7   Em7** fr7   Bm7* fr7   Am9 fr5

Verse 1

        Bm6
All the energetic people,

G/B
They all sparkle as they're walking

        Em9
Down the street.

          Em7
Can't see their faces but I've noticed,

            Bm6
That they seem to have big hands,

The stage is set,

G/B   **Bm6** **Cadd9**
Here's the glamour whose got it ain't me.

        Bm6
Now you know that I can see you,

G/B
And you know that it is easy,

        Em9   **Em7**
To see me something has been on my mind.

Something has struck me,

        Bm6   **G/B**
Kind of odd look out for quick sand there is high ground,

      Bm6   **Cadd9**
Who wants this rock scene?

We sing...

Chorus 1

Em^{7*} Bm^7
Whenever you look you can see that,

   $Cmaj^7$ $Fmaj^7$
Everybody wants to be part of the rock scene.

Em^{7*} Bm^7
Whenever you look you can see that,

   $Cmaj^7$ $Fmaj^7$
Everybody wants to be part of the rock scene.

Verse 2

Bm^6 G/B
Now the time has come and yeah the shore it must be strong,

     Em^9 Em^7
And are we all part of the latest craze,

Is this how we mend our way?

   Bm^6 G/B Bm^6 $Cadd^9$
And I can hear the taxi calling telling me we haven't left   yet.

   Bm^6 G/B
As the lights go on were out tonight,

                     Em^9
Some how you seem to stand out in a crowd,

          Em^7
You raise the tempo in the disco.

               Bm^6
Did you make this place your own?

       G/B Bm^6 $Cadd^9$
The stage is set is the glamour I'm in this rock scene.

Chorus 2

Em^{7*} Bm^7
Whenever you look you can see that,

   $Cmaj^7$ $Fmaj^7$
Everybody wants to be part of the rock scene.

Em^{7*} Bm^7
Whenever you look you can see that,

   $Cmaj^7$ $Fmaj^7$
Everybody wants to be part of the rock scene.

Em^{7*} Bm^7
Whenever you look you can see that,

   $Cmaj^7$ $Fmaj^7$
Everybody wants to be part of the rock scene.

Em^{7*} Bm^7
Whenever you look you can see that,

   $Cmaj^7$ $Fmaj^7$
Everybody wants to be part of the rock scene.

Interlude	‖: **Em7***	**Bm7**	**Cmaj7**	**Fmaj7** :‖	*play 4 times*

Middle

Em7**   **Bm7***   **Am9**   **Bm7***
House on the rock   surely it will last forever,

Em7**   **Bm7***   **Am9**   **Bm7***
House on the rock   don't you know its now or never.

Em7**   **Bm7***   **Am9**   **Bm7***
House on the rock   surely it will last forever,

Em7**   **Bm7***
House on the rock.

Am9   **Bm7***
                   'Cause,

Chorus 3   As Chorus 2

Outro

Em7   **Bm7**   **Cmaj7**   **Fmaj7**
  Wh, wh, wh, wh, whenever,   rock scene.

Em7   **Bm7**   **Cmaj7**   **Fmaj7**
  Wh, wh, wh, wh, whenever,   rock scene.

Em7   **Bm7**   **Cmaj7**   **Fmaj7**
Wh, wh, wh, wh, whenever,   rock scene.

Em7   **Bm7**   **Cmaj7**   **Fmaj7** | **F** |
Wh, wh, wh, wh, whenever,   rock scene.

| ⌢
| **Em7*** |

Relative Tuning

The guitar can be tuned with the aid of pitch pipes or dedicated electronic guitar tuners which are available through your local music dealer. If you do not have a tuning device, you can use relative tuning. Estimate the pitch of the 6th string as near as possible to E or at least a comfortable pitch (not too high, as you might break other strings in tuning up). Then, while checking the various positions on the diagram, place a finger from your left hand on the:

5th fret of the E or 6th string and **tune the open A** (or 5th string) to the note Ⓐ

5th fret of the A or 5th string and **tune the open D** (or 4th string) to the note Ⓓ

5th fret of the D or 4th string and **tune the open G** (or 3rd string) to the note Ⓖ

4th fret of the G or 3rd string and **tune the open B** (or 2nd string) to the note Ⓑ

5th fret of the B or 2nd string and **tune the open E** (or 1st string) to the note Ⓔ

E A D G B E
or or or or or or
6th 5th 4th 3rd 2nd 1st

Head

Nut

1st Fret

2nd Fret

3rd Fret

4th Fret

5th Fret

Reading Chord Boxes

Chord boxes are diagrams of the guitar neck viewed head upwards, face on as illustrated. The top horizontal line is the nut, unless a higher fret number is indicated, the others are the frets.

The vertical lines are the strings, starting from E (or 6th) on the left to E (or 1st) on the right.

The black dots indicate where to place your fingers.

Strings marked with an O are played open, not fretted. Strings marked with an X should not be played.

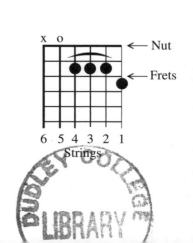

x o   ← Nut

← Frets

6 5 4 3 2 1
Strings

The curved bracket indicates a 'barre' - hold down the strings under the bracket with your first finger, using your other fingers to fret the remaining notes.

112